NADOLIG Y BEIRDD

GOLYGYDD
ALAN LLWYD

NADOLIG Y BEIRDD

CYHOEDDIADAU BARDDAS 1988

Argraffiad Cyntaf – 1988
Ail-argraffiad – 1990
Trydydd argraffiad – 1998

ISBN 1 900437 19 8

Cyhoeddwyd gan Gyhoeddiadau Barddas
Argraffwyd gan
Wasg Dinefwr, Llandybïe, Sir Gaerfyrddin

Gogoniant yn y goruchaf i Dduw,
ac ar y ddaear tangnefedd, i ddynion ewyllys da.

Luc 2:14

CYNNWYS

.

CYDNABYDDIAETH LLUNIAU

ADRANNAU

RHAGAIR

Syniad a gyflwynais ger bron aelodau Pwyllgor Gwaith Cymdeithas Barddas y llynedd oedd *Nadolig y Beirdd*. Derbyniwyd y syniad, a dewiswyd golygydd ar gyfer y gyfrol, ond gofynnodd y golygydd gwreiddiol a wnawn i ymgymryd â'r gwaith o olygu'r gyfrol, ac felly y dechreuais i ar y gorchwyl o gywain cerddi ynghyd ar gyfer y gyfrol.

Yr ail gam ar ôl llunio teipysgrif y gyfrol oedd sicrhau grant ar ei chyfer. Nid blodeugerdd noeth, deipograffig yn unig a oedd gennyf dan sylw, ond llyfr hardd, llyfr addurnedig a darluniedig, a byddai angen cymhorthdal gweddol sylweddol ar gyfer ei gyhoeddi. Crybwyllais y syniad wrth Mr Euryn Ogwen, Rheolwr Rhaglenni S4C, a gwelodd ddeunydd rhaglen Nadolig yn y llyfr ar unwaith, gyda'r bwriad o ddefnyddio'r llyfr yn y rhaglen. S4C felly a ddaeth i'r adwy, a rhoi inni'r nawdd ariannol angenrheidiol ar gyfer cyhoeddi'r llyfr. Ni allaf ddiolch digon i Euryn Ogwen am ei gefnogaeth frwd. Dewiswyd y cwmni disglair Opus 30 i lunio'r rhaglen, a bûm yn trafod rhywfaint ar gynnwys a threfn y rhaglen gyda Mr Mervyn Williams, un o gyfarwyddwyr Opus 30. Mawr oedd ei ddiddordeb a'i frwdfrydedd yn y syniad o'r dechrau, a mawr yw fy niolch iddo yntau hefyd am bob cefnogaeth. Mervyn a benderfynodd bopeth ynglŷn â'r rhaglen, ei chynnwys a'i diwyg, ac nid oedd angen iddo ymgynghori â mi ynglŷn â dim, mewn gwirionedd. Yr oeddwn yn fwy na bodlon gadael pob trefniant yn ei ddwylo profiadol a medrus ef.

Gofynnais i Mr Elgan Davies, Pennaeth yr Adran Ddylunio yn y Cyngor Llyfrau, ddylunio a threfnu'r gyfrol, a gwnaeth hynny gyda'i ddawn a'i allu arferol. Comisiynodd Dylan Williams i chwilio am luniau addas ar gyfer y gyfrol. Y ddau hyn a roddodd ei diwyg trawiadol a hardd i'r gyfrol, ac ni allaf ddiolch digon i'r ddau hyn ychwaith. Nid dyma'r tro cyntaf i mi gael cymorth a chefnogaeth gan Elgan o bell ffordd. Byddai gwedd dlotach o lawer ar gloriau Cyhoeddiadau Barddas pe na bai amdano ef. Diolch iddo ef ac i Dylan Williams am eu gwaith mawr.

Bu'r beirdd yn hael eu cefnogaeth i'r gyfrol. Cefais bob hwylustod ganddynt, a chaniatâd i ddefnyddio eu cerddi. Nid oes unrhyw ddiben i mi enwi'r beirdd hyn, gan fod eu cerddi a'u henwau yn ymddangos yn y gyfrol. Serch hynny, y mae'n hollbwysig fod pawb yn sylweddoli mai eiddo i'r beirdd hyn yw'r hawlfraint ar eu cerddi, ac nid eiddo i Gyhoeddiadau Barddas na neb arall. Fodd bynnag, mi hoffwn enwi pawb a roddodd ganiatâd imi ddefnyddio cerddi beirdd nad ydynt bellach ar dir y byw. Diolch hefyd i'r perchnogion hawlfraint a ganlyn:·

Mrs Eiflyn Roberts am gerddi G. J. Roberts;
Miss Dilys Williams am gerddi Waldo Williams;

Mrs Neli Bowen am 'Boed Noël' Euros Bowen;
Mrs Gwyneth Lloyd am gerddi O. M. Lloyd;
Mrs Alis Llywelyn-Williams a Luned Meredith am 'Seren
Bethlehem' Alun Llywelyn-Williams;
Mr Emyr Edwards am gerddi J. M. Edwards;
Mrs Mair Davies am 'Hen Stori' T. Glynne Davies;
Mrs Mair Saunders am 'Carol' Saunders Lewis;
Sioned O'Connor am 'Carol y Bugeiliaid' Cynan;
Mr Gwyn Llywelyn am sicrhau fy mod yn cael defnyddio
'Y Geni' E. Gwyndaf Evans.

Mawr ddiolch hefyd i Wasg Gomer am ganiatâd i gynnwys cerddi'r
beirdd canlynol: Eirian Davies, Waldo Williams, S. B. Jones, Roger
Jones, Nesta Wyn Jones, Moses Glyn Jones, Dic Jones, T. Llew Jones, ac
i Wasg Gee am ganiatâd i gynnwys cerddi gan I. D. Hooson,
E. Gwyndaf Evans, Alun Llywelyn-Williams, Iorwerth C. Peate a
Gwyn Thomas. Diolch i gyfarwyddwyr a pherchnogion y gweisg hyn
am eu cymorth caredig a pharod.

Hoffwn ddiolch yn olaf i weithwyr Gwasg Dinefwr am y gwaith
arbennig o raenus a chydwybodol a wnaethpwyd ar y gyfrol. Diolch i
bawb ohonoch a fu'n gysylltiedig â'r gwaith o gynhyrchu *Nadolig y
Beirdd*.

Alan Llwyd

DECHREUADAU

Y GENI

I. D. Hooson

O heol i heol
  Yn ddyfal bu'r ddau
Yn chwilio am lety,
  A'r nos yn nesáu.

Prysurai'r aderyn
  I'w nyth dan y to,
A'r gweithiwr i'w fwthyn,
  Ond hwythau'n ddi-do

Tu allan i'r gwesty
  Yn gwrando ar gân
A miri y teithwyr
  O amgylch y tân.

Ymlwybro'n flinedig
  Yng nghysgod y gwrych,
Wrth olau y Seren
  At lety yr ych.

Ac yno'r Mab bychan
  A anwyd i'r byd;
Y preseb diaddurn
  A gafodd yn grud;

A mantell y Forwyn
  O lasliw y nen
Yn esmwyth obennydd
  Ymhlyg dan ei ben —

Y Baban Bendigaid
  Nad oedd Iddo le
Ond llety'r anifail
  Ym Methlehem dre'!

I FETHLEHEM

Gwilym R. Jones

’Roedd y sêr yn berwi’n y nef
a’r gwynt yn cnoi ac yn cnoi
a’r cerrig dan sandal a charn
yn jercian cwsg o’u llygaid.

Siwrnai go ddiflas oedd hon:
Hi ynghrwm gan ei baich
a’r asyn yn arafu’i gam;
yntau’n cerdded a thwsu.

Aent rhagddynt heb wybod dim,
dim mwy nag a wyddai’r mul,
aethai’r nos hithau ymhell
heb weled cannwyll mewn ffenestr.

Toc daeth clep carnau ar graig
ac atsain drwy’r strydoedd cul —
dim ond cael a chael wnaeth y tri
i dynnu i gyrion eu dinas.

Heibio i demel a llys
a churo wrth ddorau cau;
ei gosod ar frys ar y gwellt
a’r byd yn nofio o’i chwmpas.

Y mab yn rhwygo ei chroth
A’r asyn â’i ffroen yn y gwair;
A’r tad yn syllu a dweud:
‘Nid tebyg i mi ydyw’r ewach.’

YN Y PRESEB

Eirian Davies

Estyn y gwair o'r rhastal — a wnâi Mair
Am un Mab ei gofal,
A stwbwrn ych y stabal,
O'i weld Ef, yn ildio'i wâl.

Y GENI

T. Arfon Williams

Dedwydd ddigwyddiad ydyw! — o'i cheufedd
Dyrchefir dynolryw;
Mae mymryn o ddyn yn Dduw,
Plentyn yn arddun Wirdduw.

Y GENI

G. J. Roberts

Beudy a phreseb a chesail o wair,
A disgwyl yn llygaid y wyry Fair.

Llais angel wrth lidiart y gorlan draw,
Gorfoledd a dychryn mewn bron gerllaw.

Tri brenin yn cychwyn ar siwrnai faith,
A seren yn gwarchod pob cam o'u taith.

Bugail a brenin yn plygu glin,
A seren yn oedi uwch brigau'r pîn.

Duw yn ymestyn mewn cesail o wair,
Rhyfeddod yn llygaid y wyry Fair.

CRIST

Alan Llwyd

Ganed y mab amgenach — o lwynau'r
Fair lân na bu'i glanach,
Nad cyffredin mo'i linach
Ond Duw'n bod mewn plentyn bach.

Y GAIR YN GNAWD

T. Arfon Williams

Nid yw yn Ei arbed Ei hun, o'i ras
Ymroi'n ddiwarafun
Mae Duw i broblemau dyn
A rhoi'i ateb mewn crwtyn.

Y DYFOD

Gwilym R. Jones

Ni wyddai Mair paham
fod sêr y ne'n
caneitio yn danbeitiach
uwch ei phen
am ddyfod nos pob nos.

Ni wyddai hi
fod ynddi ffagal ffrwydrol
a rôi'r hen fyd ar dân

er mai y mwynaf
o feibion dynion
a rwygai weflau brwd ei chroth.

Hyhi fu'r llong
a ddug i dir
y cargo druta' 'rioed —
y Mawr a wnaeth y moroedd.

Anodd oedd dirnad
pam y ganed Ef — o bawb —
i ddioddef o dan draed
rhai fel nyni,
y gwŷr sy'n baeddu'r byd.

Ac nid y stori am ei ddyfod
o fru y wyry wen
i alaw'r côr angylion
ydyw'r wyrth
a synna bob rhyw synnwyr,
ond un fwy,
sef ei ddyfod Ef o gwbwl
i'n trwbwl ni a'n trin.

DUW MEWN DYN

Eirian Davies

Ni wyddom am ddim rhyfeddach, — Crëwr
  Yn crio mewn cadach;
  Yn faban heb ei wannach,
  Duw yn y byd fel dyn bach.

CRIST

Geraint Lloyd Owen

I fyd di-gred, colledig, — i ddüwch
   Y ddaear lygredig
   Y daeth, i ganol ein dig,
   A dod yn wynfydedig.

Y GENI

Gwilym R. Jones

Yng ngaea'r Môr Canoldir
   Y ganed mebyn Mair,
Y claear Fôr Canoldir,
Heb iâ i glymu'r doldir
   Nac eira ar y gwair.

'Roedd düwch llygaid ewig
   Dan ei amrannau ef,
Diniwed lygaid ewig,
Â'i drwyn o siâp Iddewig
   A swn Hebreig i'w lef.

Aroglau sur y biswail
   A lanwai'r preseb-grud;
Ar dom o wellt a biswail,
Drycsawrus wâl anifail,
   Y daeth 'run bach i'r byd.

Ni welwyd grawn y celyn
   Yn fflamgoch uwch ei ben;
Ni thwnnai tân y celyn
Yn llety llwyd yr asyn
   Na channwyll wêr ar bren.

Ym moelni Palesteina
   Bu'r 'Dolig cynta' 'rioed,
Di-garol Balesteina,
Heb dinsel a heb Santa
   Na lampau lliw ar goed.

A dyna hanes geni
   Y dynol-ddwyfol Dduw:
Mor addas oedd ei eni
Yng ngharpiau ein trueni
   Ar domen dynol-ryw!

GENI CRIST

Madog ap Gwallter

Mab a'n rhodded,
Mab mad aned dan ei freiniau,
Mab gogoned,
Mab i'n gwared, y mab gorau,
Mab fam forwyn
Grefydd addfwyn, aeddfed eiriau,
Heb gnawdol Dad
Hwn yw'r Mab rhad, rhoddiad rhadau . . .
Cawr mawr bychan,
Cryf, cadarn, gwan, gwynion ruddiau;
Cyfoethog, tlawd,
A'n Tad a'n Brawd, awdur brodiau.
Iesu yw hwn
A erbyniwn yn ben rhiau.
Uchel, isel,
Emanuel mêl meddyliau . . .
Pali ni fyn,
Nid urael gwyn ei gynhiniau.
Yn lle syndal
Ynghylch ei wâl gwelid carpiau . . .
Ei leferydd
Wrth fugelydd, gwylwyr ffaldau.
Engyl yd fydd,
A nos fal dydd dyfu'n olau.
Yna y traethwyd
Ac y coeliwyd coelfain chwedlau,
Geni Dofydd
Yng nghaer Ddafydd yn ddiamau . . .
Nos Nadolig,
Nos annhebyg i ddrygnosau,
Nos lawenydd
I lu bedydd, byddwn ninnau.
Bendigaid fyg
Yw'r Nadolig deilwng wleddau,
Pan aned Mab,
Arglwydd pob Pab, pob peth piau,
O Arglwyddes
A wna in lles, a'n lludd poenau,
Ac a'n gwna lle
Yn nhecaf bre yng ngobrwyau.

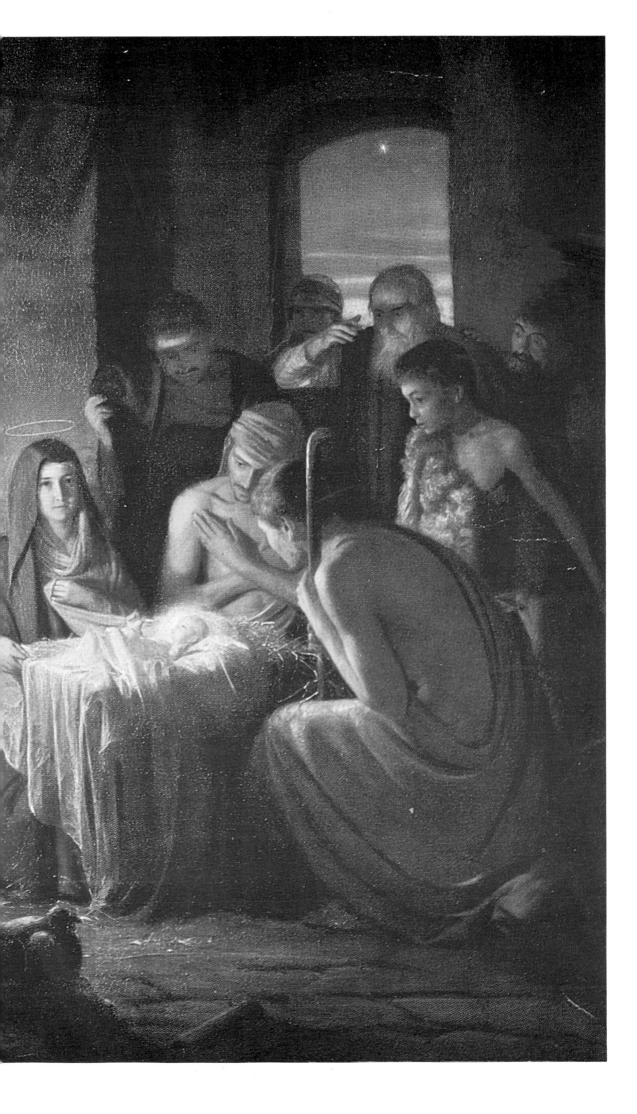

Y BABAN

O. M. Lloyd

I Fair ni roddaf eiriau — uchel iawn,
  Ei chlod yw'r cadachau;
  Y Brenin ar ei gliniau,
  Efô yw'r un i'w fawrhau.

Y GENI

E. Gwyndaf Evans

'Roedd nos yn y stryd,
Tywyll nos ar y byd
Pan ddaeth Golau o'r Nefoedd at Mair;
Er cysgodion y groes
Gwelwyd gobaith pob oes
Yn y Baban sy'n cysgu'n y gwair.

Yr eiddil di-nam
Pwy a'i ceidw rhag cam?
Cannwyll llygad y Nef yw Mab Mair;
Daw angylion i'w hynt
Clywch eu cân yn y gwynt
Am y Baban sy'n cysgu'n y gwair.

Yn Geidwad y byd
Heb na llety na chrud,
Rhoddwyd Trysor y Nefoedd i Mair;
Daw bugeiliaid ar frys
A daw'r brenin o'i lys
At y Baban sy'n cysgu'n y gwair.

WRTH Y CRUD

T. Arfon Williams

Mor fwyn ydyw'r wên ar wyneb ein Duw;
  Mae'n dalp o anwyldeb,
  Yn gariad er nad oes neb
  Yn brysio at ei breseb.

CRIST

Alan Llwyd

Ei greu'n ail-greu'r ddaear gron, — a'i eni
    Yn ddadeni dynion
    O'r newydd; ailsaernïo'n
Holl fyd drwy'r un ennyd hon.

NADOLIG
(*'Mab a roddwyd i ni'*)

O. M. Lloyd

I deulu Duw, wele, daeth — dydd y Mab,
    Dydd mawr iachawdwriaeth.
    Hwn yn un â ni a wnaeth,
Duw yn nwylo dynoliaeth.

GENI'R BABAN

Eirian Davies

Mireinder o gôl morwyndod, — y Gair
   Yn y gwellt i'w ganfod;
   Duw, un dydd, i'n byd yn dod
   Heb i neb Ei adnabod.

WRTH Y CRUD

T. Arfon Williams

Ni all dynion yn eu gwylltineb gael
   Ond gwellt anwarineb
   I'w porthi, ac ni wêl neb
   Y rhosyn yn y preseb.

RHOI IESU YN Y PRESEB

O. M. Lloyd

Heb lety, gwely mewn gwair — a dannwyd
   Unwaith ar ei gyfair
   Am i Dduw drwy fam ddiwair
   Wneud gwyrth o droi'n gnawd y Gair.

NADOLIG

O. M. Lloyd

Nadolig, Duw a welwyd — yn rhoi'i Fab;
   I oer fyd fe'i ganwyd:
   Gwely mewn benthyg aelwyd
   A roed ar lawr daear lwyd.

Y CRIST

Alan Llwyd

Ac Ef oedd y Gair. Dichon nad oedd y cadachau
yn deilwng o'r Ymgnawdoliad ym Methlehem dref,
eithr caed rhwng yr asyn a'r bustach y goruchaf ei achau,
ac ynghanol aerwyau a rhastlau, y Crist o'r nef.

Esgorodd gwyryf ar Dduw, ac er rhoi i hon y gyfrinach,
bu Mair, lladmerydd y Gair, heb leferydd yn fud:
yn ei chnawd bu'r bydysawd oll, yn ei chroth y dilychwin o linach
nes dyfod o'r Mab i'r ystabl ac i'w grawcwellt o grud.

Cyfieithiad i'n cystrawen ydoedd, rhag cymylu'n dirnadaeth,
awen oddi wrth Dduw yn ein mydrau meidrol ni,
yr Arfaeth yng ngeirfa'r ddynolryw, yn frawd, yn gnawd, yn
   genhadaeth,
tragwyddoldeb yn rhith ein meidroldeb, yn Un ac yn Dri,

a'r Doethion diddeall, o ddyfod i'w anrhydeddu,
uwch diweirdeb bastardiaeth y Crist yn rhyw fud ryfeddu.

Y NEWYDD DA

T. Arfon Williams

Ehed ein diffyg dirnadaeth yn awr,
   Ffy niwl ein hamheuaeth;
   I genhadlom genhedlaeth
   Gwas o Dduw'n negesydd ddaeth.

GENI OFER

O. M. Lloyd

Er geni yr Iôr ganwaith — a'i Fethlem
   Iddo'n faethle filwaith,
   Oni enir hwn unwaith
   Yn dy fron caed ofer waith.

Y GENI

Alan Llwyd

Drwy chwys ac ymdrech oesol
ei chorff fe'i genir drachefn:
fe'i gorfodwyd hi i ailbrofi braint
y geni rhyfedd hwnnw drwy ganrifoedd hanes;
fe lwythwyd bron ddwyfil o weithiau
ei chnawd â'i gnawd, yr Unig-anedig,
nes ei dihoeni gan fryntni'r fraint.

Nid felly'r Mab: unwaith y cyflawnodd yr aberth.
Dathlwn yn flynyddol ddolur
y geni hwn, ond ni ddathlwn ddydd
Ei rwygo. Paham na chrogwn
ddrain o waed yn addurniadau,
neu drimins cyn goched â'i wrymiau
wedi pang y fflangell,
ar furiau, a rhoi'r Crist a dryferwyd
ar galendr gŵyl
Ei farw cyforiog?
Pam na thrown ei arwyl yn Ŵyl Ei Farwolaeth,
a chofio'i oruchafiaeth
ar Angau, a drengodd
wedi'r trydydd dydd anrhydeddus?

Ei eni fel hyn bob blwyddyn yn ein plith
yw tynged ddiymwared Mair:
rhoed iddi ail-fyw'r dioddef,
dioddefaint esgor y wraig, ond gwell fyddai gan Fair
Ei eni fel hyn bob blwyddyn, na theimlo plwc
olaf Ei gorff am un eiliad,
ac i'w wawchio rwygo ei chroth
o'i chorff drachefn.
Gwell artaith Ei eni filwaith na gweld unwaith ddirdynnu
ei gorff gan yr hoelion llym, gwyrdroi'i ystum ar drawst,
a'i rwnc wrth iddo ystrancio
i farw yn mygu'i lleferydd.

Gwthiodd o'i chnawd Ei Olgotha,
a'i hesgor a fwriodd gysgod
y groes dros Ei greu,
ond egwyl rhwng dwy enedigaeth
oedd Ei angau a'i ddyddiau oll.
Gwahanol oedd y geni,
mor wahanol â'r marw hwnnw,
y diddymu einioes nad y diwedd mohono,
y dileu a oedd yn ddechreuad,
a dygwyl Ei enedigaeth
yw gŵyl Ei fuddugoliaeth
wedi tridiau anesgor ei angau yng nghroth y graig.

Y BABAN IESU

Eirian Davies

Hwn a welwyd yn wylo — yn y gwair
   Yn un gwan, a dwylo
   Mair ei hunan amdano,
   Un bach llwm rhwng buwch a llo.

Y NEWYDD

Nesta Wyn Jones

Pan ddaeth gwawch y baban o'r preseb
Daeth llewyrch i fyd y tywyllwch,
Toddodd y seren gannaid
Yn llymaid i ganol y llwch.

Toc wedi'r geni bendigaid
Ar ôl y gwylaidd addoli,
Ar ôl i'r doethion fynd adre
Yn ôl ymhell i'w cartrefi.

Canfuwyd fod yno farworyn
Ynghwsg yng nghanol y crinwair
A losgai dudalen Hanes i gyd —
Y gwreichion ym mherson mab Mair.

Y cyfan o'r henfyd yn ulw —
Daeth gobaith i ganlyn Un gwirion,
Ac yn sŵn trugarog y fflamau
Clywsom siffrwd adenydd angylion.

RHODD DUW

O. M. Lloyd

I'r anwir rhoi yw hanes — Duw erioed,
    Rhoi o galon gynnes,
  A rhoi yn llwyr er ein lles:
  Anfonodd Oen ei fynwes.

NADOLIG

O. M. Lloyd

Nadolig, ymgnawdolodd — Duw y nef;
    Â'n byd ni ymwelodd,
  A Mair yma a'i rhwymodd
  Mewn cadach yn fach o'i fodd.

NADOLIG

O. M. Lloyd

I'n byd ofer Mab Dwyfol — a aned;
O! unwn i'w ganmol.
Heb y Ffydd byddai byw ffôl,
Byw gwirion heb y garol.

17

NADOLIG

O. M. Lloyd

Cofio rhannu cyfrinach — Iôr ei hun
　Ar yr ŵyl wnawn bellach;
　Dyma'n Ceidwad mewn cadach,
　Mae'n Duw'n y byd mewn dyn bach.

Y CRUD

Gwilym Rhys

　Daeth Iesu o dŷ ei Dad,
　O'i gariad Ef, i grud oer
　I dywynnu 'mysg dynion.

　Y crud yn dal Creawdwr,
　A llu nef yn llawenhau
　Wrth rasol wyrth yr oesau.

　Dyn o chwith, heb dŷ na chân,
　Yn ddihidio o'i Dduwdod,
　Ac i'r Iesu'n ddigroeso.

　Ond er rhyfyg dirmyg dyn,
　O'r crud hwn ceir cariad Duw,
　A cheidwad i bechadur.

　Am hyn oll ymuno a wnawn
　Yn y gân i'w ogoniant,
　Uwch crud sydd grud Gwaredwr.

Y BYWYD NEWYDD

T. Arfon Williams

Fe fynnodd Yr Hen Ddihenydd ymweld
　Â Mair, ac o'r herwydd
　Diniwed fywyd newydd
　Y nos hon i ninnau sydd.

Y MAB BYCHAN

Evan G. Hughes

I fyd terfysglyd o'i fodd — i breseb
Yr asyn disgynnodd;
Gofid ein bai a gafodd,
Trwy ing oddi yma y trodd.

Y NADOLIG

Rolant Jones

Awn i weld ei anwyldeb — at Ei grud;
Daw gwawr hedd o'i wyneb;
Llwyddo'n iawn ni allodd neb
A ddibrisiodd ei breseb.

YR UNIG-ANEDIG

Roger Jones

Yn ei eni'n wahanol, — yn ei fedd
Yn Fab y Tragwyddol;
Yn Dduw unig, yn ddynol,
Yn Dduw Nef pan ddaw yn ôl.

HEN STORI

T. Glynne Davies

Er gwaetha'r byd, mae hi'n hen, hen stori:
    Tiwn gron sy'n cyniwair trwy'r greadigaeth faith;
Y stori am griw o fugeiliaid rhynllyd
    Yn gwrando ar eu defaid ryw hen noson laith.

'Roedd Duwdod ar fin dod i'r byd mewn stabal,
    A'i fam yn ei hartaith ar dipyn o wely gwair;
Pan ddaeth o, fe'i rhwymwyd yn dynn mewn cadachau,
    A'i roi yn y mansiar wnaeth y wyrthiol Fair.

'Roedd angylion Iddewig yn ymuno'n y dathlu,
    Gan fflio'n sgwadronnau yn entrych nen,
A chlamp o seren fawr ar eu hadenydd,
    I'w lansio i derfysg yr awyr uwchben.

Rhoddodd un angel waedd o berfeddion y ffurfafen,
    Gan fethu dal, heb ddweud y newydd mawr,
A phwy oedd yn clywed, ond y bugeiliaid
    A ddychrynodd drwy'u crwyn a chwympo ar y llawr.

A draw yn y dwyrain, dyma'r doethion yn sbïo
    I gyfri'r sêr yn y rhan honno o'r byd;
A dyma nhw'n sylwi ar un oedd yn symud,
    A'i dilyn nes dod at stabal y baban mud.

A 'welodd y byd 'rioed rotsiwn bresantau:
    Aur, thus a myrr rownd pen y babi gwyn,
A Mair yn ofni iddo fo gael ei sbwylio
    Cyn ffoi i'r diffeithwch dros bob dôl a bryn.

A 'wnaeth y babi dyfu i fyny i fod yn Waredwr
    Ac yn Rhosyn Saron ac yn Oen Duw,
I ddangos i bobol sut i fyw mewn cariad
    Yn lle rhyw hen gecru bob munud byw.

Ac er ei bod yn stori ryfedd i'w choelio,
    Ac yn corddi'n y meddwl fel rhyw hen diwn gron,
Mae'r byd o hyd yn barod i gymryd Gwaredwr,
    A fuo fo 'rioed yn aeddfetach na'r ennyd hon.

YR WYRY FAIR

G. J. Roberts

Rhoes rhywun di ar dâl y gwydrau
Yng ngharchar ffenestri'r clas,
A lliwio dy wisg a'th fantell
O borffor a gwyn a glas,
Heb gofio mai llaeswisg lwyd oedd i'r Fair
Y ganwyd ei Baban mewn taflod wair.

Cei foesymgrymiadau parchus
Deallus addolwyr syn
A'u crintach geiniogau'n offrwm
Ŵyl geni dy Fab erbyn hyn;
Caed unwaith wrogaeth brenhinoedd dri
Ac offrwm o aur yn dy breswyl di.

Ond unfel dy dynged heddiw
Â'th dynged gynt wrth y pren
Lle'r hoeliwyd gofid dy Blentyn
Ynghrog rhwng daear a nen,
Pan weli roi creal Ei ofid cryn
A'i gorff drylliedig ar liain gwyn.

A'r un ydyw cri'r edifeiriol,
Ei 'ora pro nobis' trist
A esgyn fel cynt i'th gyntedd
O ganol gofidiau'r Crist,
A thithau'n gweld eto Ei waed hyd y llawr
Yn Ewrop a Rwsia a Phrydain Fawr.

MAIR

T. Arfon Williams

Daw o wyry iachawdwriaeth yn ei thro;
　Â thrwyth llygredigaeth
Ar dagu'r greadigaeth,
Yn ei le rhydd hithau laeth.

GENI CRIST

S. B. Jones

Clyw o Fethlehem emyn — cariad gwyn
　　Uwch crud gwellt y plentyn;
　Eneiniog Dywysog dyn
　Yn ei lety yn dlotyn.

Y GENI GWYRTHIOL

James Nicholas

Ganwyd y mab o gnawd Mair — un nos oer
　　Tan y seren ddisglair
　Yn wyrth Dduw o'r groth ddiwair
　Yn y gwellt, Hwn oedd y Gair.

GENI CRIST

Anhysbys

Drwy air y Tad o'i gadair — a'i rhinwedd,
　　A'i rannu yn bumgair,
　A'r Ysbryd Glân, heb anair,
　Y ganed mab o gnawd Mair.

DUW MEWN CNAWD

Derwyn Jones

Duw mewn cnawd yn dlawd ei lun, — rhin y Gair
   Yn y gwellt yn blentyn,
Trefn ffraeth iachawdwriaeth dyn
Yn y Mab mwy na mebyn.

NADOLIG

T. Arfon Williams

Er llawenydd i'r llinach, i feudy
   O fyd fe ddaeth bellach
Y Duw byw yn blentyn bach
Na welir Ei anwylach.

IESU YN Y PRESEB

T. Llywelyn Thomas

Etifedd Nef y Nefoedd, — rheolwr
   Heuliau ac amseroedd
Yn dlawd Deyrn: dilety oedd
Iesu, Brenin yr Oesoedd.

YR YMGNAWDOLIAD
('Trwyddo Ef y gwnaethpwyd pob peth')

Derwyn Jones

Awenfawr graidd yr Hanfod — yn y Mab
   Ar lin Mair i'w ganfod;
Ein Gobaith, heb un Gwybod,
A'r Gair maith heb iaith yn bod.

Y PRESEB

Ronald Griffith

Ernes o'i ras annirnad — ydyw'r bach;
   Daw i'r byd yn Geidwad;
Yn ddwyfol ac amddifad
Yma ceir yr Ymwacâd.

MAIR

R. J. Rowlands

Mair unig y morynion, — dewiniol
   Fadonna f'amheuon,
Tyred â'th goflaid dirion
I nos hir y ddinas hon.

YMSON MAIR

T. Arfon Williams

Heno datgelwyd i minnau paham
   Y mae pen y bryniau
Oll yn oll yn llawenhau, —
Mae'r achos yn fy mreichiau.

Y DIRGELWCH MAWR

T. Arfon Williams

Bu'r Fair Wen, y buraf o'i rhyw, yn dwyn
   Un dinam; y cyfryw
Mysterium Tremendum yw,
Dyndod a Duwdod ydyw.

MAIR A'I MAB

Anhysbys

I Anna merch a aned,
A honno yw Mair, crair cred.
Bu Fair, o'r gair yn ddi-gêl,
Yn feichiog o nef uchel.
Mal yr haul y molir hon
Drwy ffenestr wydr i'r ffynnon.
Yr un modd, iawnrhodd anrheg,
Y daeth Duw at famaeth deg,
Gorau mam, gorau mamaeth,
Gorau i nef y gŵr a wnaeth.
Cyflawn oedd, coflawn addwyn,
Tref i Dduw, tra fu i'w ddwyn.
Angylion gwynion yw'r gwŷr
Oedd, i wen, ymddiddanwyr.
Wrth raid, mawr fu'r ethrodion,
Y ganed Duw o gnawd hon.
Hon a fagodd o'i bronnau,
Hynaws mawl o'r hanes mau,
Baich ar ei braich oedd ei brawd
A'i baich a'n dug o bechawd.
Ei thad oedd yn y gadair,
A'i mab oedd yn hŷn na Mair.
Mair a wnêl, rhag ein gelyn,
Ymbil â Duw am blaid yn':
A'r Unduw ef a wrendy
Neges y frenhines fry.
O chawn i'n rhan ferch Anna,
Mwy fydd ein deunydd a'n da.

MAIR

J. H. Roberts

Dyfod i Ddinas Dafydd
Yn ddi-hoen wedi'r blin ddydd,
A chariai hi faich ei rhyw,
Pinacl cymundeb benyw;
Am orweddle dyheai
Ei hysig gorff, ond nis câi;
Rhy gostus gwychder gwesty,
Nid oedd a'i derbyniai i dŷ,
Na châr i ddeall ei chŵyn —
Ing cudd yr ieuanc addwyn.
Iddi pwn ydoedd penyd
Amheuon, straeon y stryd.

Yna troi i lety'r ych
Yn ei chyni, a chwennych
Arogl y gwair, gwely gwellt,
Gobennydd o risg bonwellt
Yn y côr, — a thinc aerwy
Am wddf nis dychrynai mwy.

Egwan ei llais, geni llanc;
A wêl hi rebel ieuanc
Yr oesoedd yn y preseb
A'i ddwy law ar ei grudd wleb?
Hyderus ei ystwyrian
A nwydau'i hil ynddo'n dân.

Ufudd i'w reddf ryfedd, ddrud —
Mae'n estyn am wên astud
Ac yna'n brwd sugno'n braf
Fronnau y Fam fireiniaf;
Briw a chur, gwobr ei chariad,
O'r poenau llosg dôi'r penllâd, —
Haul haf wedi awel lem
Ei esmwythlais ym Methlem.

YMSON JOSEFF

Gwynn ap Gwilym

Neithiwr, a'r angylion yn nythu
yn y llwydrew ar frigau'r olewydd
gan daenu eu gwyn adenydd
yn wawl hud dros Fethlehem,
yr oedd y baban a aned
i Fair ddiwair, fy nyweddi,
yn fwndel o ddirgelwch.

Canys etifedd daear a nef oedd y mab yn y stabal,
un a gyfunai eithafion byd yn ei berson bach.
Wele'r Iesu yng ngwely'r asyn,
ac ar ei wedd dangnefedd ei Dad
a gwên fwyn egwan ei fam.

Pwy a ŵyr rym y pwerau
yn y bachgen anghennog, cyfoethog hwn,
y cawr yn y preseb cerrig,
y tywysog dan y to isel,
y pendefig gwan a ergydia'r anwir
â gwialen ei enau,
yr un tirion y tawdd y bryniau
ar arch ei wefusau Ef?

Hwn a aned i'r byd yn Waredwr
yn y dydd gwydn nad ydoedd gydnaws
ag anian baban bach.

A heno mor anodd yw dirnad
bwriadau yr Un a'i hanfonodd:
i fyd a llofrudd ynddo yn disgwyl amdano y daeth.
Mae holl allu'r tywyllwch
yn duo eisoes am waed Iesu.

Y mae milwyr Rhufain ym Methlehem heno
yn strytio drwy'r stryd,
eryrod y Cesar yn erlid colomen y nef;
y mae Rahel hefyd a'i mawr wylofain
yn fraw yn yr awel,
a Herod, y cadno, gan lid yn wallgo'n ei wâl.

A Cheidwad y byd yn ffoadur bach
ar ei ffordd i'r Aifft.

O, ryfedd anrhydedd ac ymddiriedaeth
a ddaeth i Mair ac i mi:
cael meithrin ar ein gliniau y Gair,
ei wylio ar ein haelwyd,
a chael lapio'n cariad daearol yn dynn amdano
rhag ei niweidio gan neb.
O, ddirfawr ryfeddod oedd ein penodi
i'r Un mawr yn rhieni maeth.

Ond wrth deithio heno ar ein siwrnai unig
ar hyd yr ucheldir i'r Aifft,
yr ydym yn nerfus gynhyrfus i gyd
ac yn llawn o gynlluniau.
Y mae'r baban hwn i dyfu i fyny,
i fyw.

Ni lwydda yr un offeryn a lunier i'w erbyn Ef.
Ni a ddodwn am esgyrn ei dduwdod
raen gofal rhieni,
a'i warchod rhag Herod a'i wŷr;
ni bydd gwewyr na gwae
a drecho Foses y preseb,
y Brenin a feithrinir
ar adain y nef a'n synnwyr cyffredin ni.

MAIR

Gerallt Lloyd Owen

I'w Duw o'i gŵydd pryd a gwedd — a roes hon,
    Rhoes waed i Dangnefedd;
    Rhoi anadl i'r Gwirionedd,
    A rhoi bod i wacter bedd.

YMSON MAIR

Alan Llwyd

  Â'r groth ar gau, hiraethaf — am fy Mab,
    Am fy maich sancteiddiaf —
    Fy Nuw'n gorff o'm corff — ond caf
    Y groth yn wag i'r eithaf.

JOSEFF

Arwyn Evans

Ai gwirdduw ei Mab gordderch? — Ai geirwir,
　　Ai gwyry 'mhriodferch,
　Neu forwyn llwyn a llannerch,
　Gwyrth o fam ai gwarth o ferch?

MYFYRDOD MAIR

Eirian Davies

Yma heno cofiaf am y preseb pren.
  I'm ffroen dôi sawr cyfarwydd naddiadau ac ysglodion,
Sawr Joseff — yr un a glywn ar groen ei freichiau ac yng ngwallt ei ben
  Pan gusanem yn y gweithdy, a'n dagrau fel glaw'r bargodion;
'Roedd hoelion yn y pren. Beth i'r rhain, pan fo awch ar eu pig,
  Y feddal arfogaeth sydd ym mreugnawd traed a dwylo?
Hoelen faterol nid ymglyw â dwyfoldeb cig
  A gwaed petai haul nef a'i ymylau yn wylo.
Cenais santaidd hwiangerdd yn y biswail a'r gwellt,
  A morthwyl o gur dan fy mron yn filain ei ergydio;
Fel dyweddi i'r saer gwyddwn fod i'r cnawd ei ddellt,
  Ond pa ferch na phlygai a'r Ysbryd amdani'n cydio?
A'r wyrth warthus, a dyfodd trwy fisoedd y treialon,
Mae heno'n wynfyd ar gadw gyda phethau'r galon.

Y FORWYN

D. J. Davies

Llonydd wellt lle ni ddôi haf,
Noeth wiail di-nyth aeaf;
Rhyw hen gornel ddiwely,
Tawch yr anifail drwy'r tŷ;
Gerllaw mae baw y buarth,
A'i ddrewi'n codi o'r carth.
Ai o garth y daw gwyrthiau
Duwdod ar ddyfod rhyw Ddau?
Aur a thus rhowch ar wyrth hen
A chysurwch â seren;
Rhag dialedd, rhwyg duloes
Yw geni Duw o gnawd oes.
Rhowch y myrr; eich mieri
A rwyma Poen ar ei Mab hi;
Coronbleth rhodd dioddef
O ddrain oes fydd ei ran Ef.
A chynnau tân o'i chnawd hi,
Er a ganer, yw'r Geni; —
Y Forwyn yn dwyn ei Duw
Drwy ei henaid i'r annuw.
Ein hoes yw y Forwyn wir,
Ac ohoni y genir
Ei Fab Ef i'w wae a'i boen;
Daw i arbed â dirboen.

HEN DEULU Y NADOLIG

(yr Anifeiliaid)

Dafydd Owen

Rhodder i Grist trwy'r ddaear gron
    Yn hael y llon garolig,
A chofier rhan y garfan gu, —
    Hen deulu y Nadolig.

Caner i'r asyn ar ddi-hun,
    Anwesun Mair, mam Iesu —
(Ni chafodd gysgu, a llu llon
    Y noson yn dynesu!)

Er canu i dorf 'ddug wawr cyn dydd
    I foelydd anifeiliaid,
Cofier y praidd oedd ar yr ŵyl
    Heb nawdd y gŵyl fugeiliaid.

Caner i'r ych roes breseb rhad
    I Geidwad bendigedig,
Ac i dri chamel, ufudd rai,
    A nodiai yn flinedig.

Boed iddynt oll, gan fawr a mân,
    Gyfran o gân y Geni;
Dyrchafu siant boed plant pob plwy
    I'w hanes hwy eleni.

Rhodder i Grist trwy ddaear gron
    Yn hael y llon garolig,
A chofier rhan y garfan gu, —
    Hen deulu y Nadolig.

Y GENI

Alan Llwyd

Er i'w gwaed sancteiddio'r gwair, — er ei chur,
    A'i chorff yn un llesmair,
Er Ei eni mewn crinwair,
Nid yw'r Mab yn fab i Fair.

NADOLIG YR YMGNAWDOLIAD

Donald Evans

Mae cân faterol y gwres canolog
heno'n fy marweiddio i'm rhuddin:
miwsig hypnotig y nos.
Mae rheng o fylbiau'n goleuo'r goeden blastig
a'i brigau'n tagu dros y cornel gan dinsel yn dew,
a'r addurniadau'n amgáu fel gweoedd
dros bedair gwal gomersial ein moeth.

Anodd yw cymell yr enaid i'w daith, i'w bererindod
o'i hun gynnes, a'i wâl yn y gewynnau swrth;
anodd ei gymell heno i'r stabl honno yn y pellterau blin.
Ond rhaid, rhaid yw mentro eto i'r hwyr
o dan wybren ddu i'r hen feudy drwy'r trofâu
rhag bywyd llethol ein marwolaeth.

Oer yw'r nos, oer a diseren
a lleuad wawdlyd yn udo ei malais rhwng y cymylau
a'r glaw yn gwawchio'i sen o'r wybrennydd.
Hir yw'r gorifyny at y Bannau Duon.
A hagr ei wyneb, anghroesawgar iawn
yw fy nghyrchfan otanynt:
hen le annynol, beudy Blaeneinion
a'i socedau syn yn gwgu'n y gwynt,
a'i ddôr wag a'i fur yn gweiddi rhegfeydd.

Ias i enaid yw aros heno rhwng ei asennau.
Mewn cornel fel y cornel drafftiog hwn
o hen wair a grawn yr esgorwyd ar Grist,
liw hwyr, ar nos fel hon.
'Roedd yno Wyry'n ymglymu'n ei gloes
a'i gwaed a'i dŵr ar y gwellt
fel y gwthiai'r Bywyd yn ddychrynllyd o'i chroth.
'Roedd 'na eidion yn bisweilio'n swrth i'r sodren,
a'i sawr yn gyfog sur yn ei thrwyn fel yr ymrwygai'i llwynau.
Gwelai ffolennau o gaglau gwydn
rhwng pyliau'i higian, yng ngholau'r gannwyll,
a chlymau cudynnau pry' cop
yn drimins llwyd ar hyd y parwydydd.

Yna'r gwyll cynddeiriog o ing
yn cau drosti ar flanced y rhastal
a'i Christ yn hollti o'i chroth,
yn rhwygo drwy'i gwyryfdod yn groch,
a llygaid mawrion yr eidionnau'n syllu'n ddisymach
ar Ei ruthr wleb i breseb yr us.

A dyna'r gip gyntaf a gafodd
ar ei Hiesu, yno yn yr eisin, wrth y picffyrch miniog
a'i llinyn yn gnodiog drwy Ei fogail
cyn iddi Ei dorri, o'i chorff, i'w Dad.
A thrwy ddrws fel y drws di-gledr hwn
y gwelodd gysgodion y doethion yn dod
i fewn o'r hethwynt yn fain, a rhythu
ar y swp glasgrych ar Ei sach.
A gwelodd eu haur drwy'r geriach yn fflachio
a'r hen wawr amheus yn serio yn nhrem Ioseff:
mab Duw yn y dom heb dad
ac ysgelerder Herod hwnt i'r muriau.

Ar ôl dod yn ôl i'r gwres canolog;
yn ôl o'r ysgubor a'r gwynt,
yr oedd y trimins di-rif
a'r rhidens a'r tinsel ar hyd y goeden blastig,
a'i brigau blagurog o las ac oren,
a'i changhennau rhuddaur i mi'n wefreiddiol.
'Roeddynt yn tanio'r rhuddin.
Yno, o gylch Siôn Onwy,
yr oeddynt, mewn byd o raib,
fel addurniadau dwstlyd y beudy
yn dathlu Nadolig yr Enedigaeth yn y dom.

Y GENI

James Nicholas

Y Gair yn y gwair yn gorwedd — a Duw
    Wedi dod o'r diwedd,
    Yna'r nefol orfoledd
    A ddaeth gan gyhoeddi hedd.

GENI A DADENI

William Morris

Fe gawn wrth gofio Geni — Aer y Nef
    Wir nerth i'n dadeni;
    A chlywn o'r clych eleni
    Seinio hedd Iesu i ni.

YR YMGNAWDOLIAD

G. J. Roberts

Byddai fflagiau ar furiau Caersalem,
A gwarchodlu o filwyr yr holl ffordd i Fethlem;
Byddai gwledd ym mhlas Herod y Tetrarch
A'r Archoffeiriad yno'n bennaf gŵr gwadd;
A byddai'r Ysgrifenyddion a'r Phariseaid,
Yn addurn eu dillad parch a'u ffylacterau,
Yn blonegu eu bodlonrwydd uwch eu llestri gwin,
Pe gwyddid fod Duw yn dod.

Ond fe ddaeth yn ddistaw yn y bore bach
Cyn i Herod ddadebru o'i feddwdod,
A chyn i forynion ei lys ailgysgu eu breuddwydion;
Pan oedd yr Ysgrifenyddion a'r Phariseaid
Yn isymwybodol ddegymu eu mintys a'u cwmin
A rhwbio-llygad gondemnio troseddwyr y gyfraith;
A Mair Fadlen yn cicio'n ymrwyfus yn ei chrud;
Pan oedd ffordd Fethlem mor wag â diffeithwch Jiwdea,
A neb yn effro ond bugeiliaid y bryniau,
A Joseph wrth gwrs,
A Mair.
'Gogoniant yn y goruchaf i Dduw.'

YN NYDDIAU'R CESAR

Waldo Williams

Yn nyddiau'r Cesar a dwthwn cyfrif y deiliaid
    Canwyd awdl oedd yn dywyll i'w nerth naïf.
Ym Methlehem Effrata darganfu twr bugeiliaid
    Y gerddoriaeth fawr sy tu hwnt i'w reswm a'i rif.
Y rhai a adawai'r namyn un pump ugain
    Er mwyn y gyfrgoll ddiollwng — clir ar eu clyw
Daeth cynghanedd y dydd cyn dyfod y plygain
    Am eni bugail dynion, am eni Oen Duw.
Rai bychain, a'm cenedl fechan, oni ddyfalwch
    Y rhin o'ch mewn, nas dwg un Cesar i'w drefn?
Ac oni ddaw'r Cyrchwr atom ni i'r anialwch,
    Oni ddaw'r Casglwr sydd yn ein geni ni drachefn,
A'n huno o'n mewn yn gân uwchlaw Bethlehem dref?
Ein chwilio ni'n eiriau i'w awdl mae Pencerdd Nef.

BETHLEHEM

Bobi Jones

Pan gododd Ef y trydydd dydd
   Yn faban yn cicio'i goesau,
Beddrod agored oedd ei grud
   Ac amwisg ei gadachau.

Angau ei hunan oedd y nyrs.
   Rhoddasai'i dwylo tyner
Am dwymyn galar byd ei ben
   A'i osod yn ei faensier.

A chododd gri diniwed clir
   Drwy'r stabal a thrwy'r ogof:
'Gorffennwyd' oedd ei faldrodd bach, —
   Gorffen ehangu angof.

Gwelwch e'n sugno bawd. Fe chwardd
   Fel ffrydlif mân i afon.
Gwelwch e'n agor llygaid mawr
   Sy'n llyncu golwyth y galon.

'Nawr mae'n darganfod crynder traed.
   'Nawr mae'n dylyfu llefrith.
Yfory cropia i weld ei hun
   Fod clai drwy'r cnawd yn dryfrith.

O groth y groes y daeth i ni.
   A phwy a wadai'i boenau?
Ogof yw'r bywyd hwn ei hun
   I orwedd ynddi dridiau.

Y NADOLIG CYNTAF

Rhiain y Ddôl

Dwyfol anthemau deufyd — yn uno
Yng nghaniad y gwynfyd,
A gwylaidd Fab y golud,
Oedd Grewr, yn ei dlodaidd grud.

Cawsom y Doeth difoethau — yn y gwair
Dan y gwyn gadachau;
O'i gael tywynnodd golau,
A rhin sydd wedi parhau.

Stori hen, a'i hystyr hi — yn newydd,
Yn awen eleni;
Ŵyl y Nef, a dreuliwn ni
Ei mawredd ynteu'i miri?

JOSEFF

T. J. Harris

Fe rannodd â'i Fair hynod — yr annwyl
Feithriniad a'r cysgod;
Y dyn hwn, y saer di-nod,
Bu dad i fab y Duwdod.

MAIR

Alan Llwyd

Creaist o'th gnawd Greawdwr; — rhoi einioes
I'r hwn ydoedd Grëwr;
Geni'r Un fu'n gyfannwr
Pob geni, a'i eni'n ŵr.

Y GENI

Waldo Williams

Mor ddieithr, coeliaf i, fuasai i Fair
   A Joseff ein hanesion disglair ni
Am gôr angylion ac am seren, am dair
   Anrheg y doethion dan ei phelydr hi.
Ni bu ond geni dyn bach, a breintio'r byd
   I sefyll dan ei draed, a geni'r gwynt
Drachefn yn anadl iddo, a'r nos yn grud,
   A dydd yn gae i'w gampau a heol i'w hynt.
Dim mwy na phopeth deuddyn — onid oes
   I bryder sanctaidd ryw ymglywed siŵr,
A hwythau, heb ddyfalu am ffordd y groes,
   Yn rhag-amgyffred tosturiaethau'r Gŵr,
A'u cipio ysbaid i'r llawenydd glân
Tu hwnt i ardderchowgrwydd chwedl a chân.

Y BABAN IESU

R. J. Rowlands

Yn y gwellt yn faban gwyn, — a hi'n nos
   Y mae'n hawdd ei dderbyn,
Ond rhaid cydgerdded wedyn
Hyd lwybr o waed i ael bryn.

YMWELIADAU

SEREN BETHLEHEM

Alun Llywelyn-Williams

Seren a safodd oedd hon;
   ond trefn yr entrych yw
pan safo seren, bydd farw;
   egni anorffwys yw byw.

Pa fodd y disgleiria'r marw,
   yn dyst i'r dadeni hwn?
Prydydd a gwyddon a gais
   gyfrinach y cread crwn,

a rhyfeddod ein doethion ni
   yw bwrw'r nifylau draw
ar garlam dros orwel bod
   a gofod i wagle braw

oddi wrth ein bydan dibris.
   Ac fel y prysura'u rhod,
gwelwn eu llewych hen
   o'r doe diamgyffred yn dod,

fel adwawr o'r heuliau cladd,
   fel atgof, a fu, eto sydd
o'r doe sy'n tragwyddol droi
   yn bresennol diaros, a fydd.

Ond ym moth y chwyrnellau, fe lŷn
   colyn marwoldeb o hyd,
fel, pan ymwasgara'r sêr,
   tywyll ac unig fo'n byd,

a'r glorian yn gytbwys a gwag
   ac amser wedi'i ddileu.
Eithr o'r llonyddwch drachefn
   y megir yr ysbryd sy'n creu;

a seren a safodd oedd hon.
   O'r dirgel diorwel fe ddaeth,
a llewych ei llonydd bryd,
   nid yw gan amser yn gaeth.

'GWELSOM EI SEREN EF'

O. M. Lloyd

O! na welem ni olau — ei seren
A phrysuro'n camau
I Fethlem, i roi'n gemau
O'i flaen Ef i'w lawenhau.

Y SEREN

Eirian Davies

Caneitiai'r seren hamddenol tua Bethlehem gynt
  O Bersia dros grastiroedd fel dwyfol genhades wen;
Nid cyflymach ei thrafael nag y medrai'r tri ar eu hynt
  Ei chanfod fel botwm golau yn rhwyll y nen.
Caspar, Belthasar a Melchior ar awyddus daith
  I ddatrys, o'r diwedd, un o ddirgelion y nefoedd fry,
Yn cyrchu man datguddio yr hanes maith
  Am eni Brenin, boed hynny mewn twlc neu mewn tŷ.
Heddiw mae ein bysedd crafangllyd, a'u modrwyau blys,
  Yn estyn eu gafael am gynhaeaf ydlannau'r gofod;
Man y bu mawl yr angylion ar dawel nos
  Mae rhu rhocedau bonfflam yn ddolurus rwygiad.
Nid oes i'r Nadolig bellach ond seren wib
Na thyn neb ar ei hôl i weld y Mab.

PLE'R AETH Y SEREN?

Gwilym R. Jones

Ple'r aeth y seren ddenu
  Fu'n dallu y gwŷr doeth
A'u hurtio wrth sôn bod ffortiwn
  Yng nghrud y stabal noeth?

Seryddwyr a bugeiliaid,
  A fu ar siwrnai flin,
Aeth gyda'r ugain canrif
  Digyfrif dros y ffin.

Mae yntau'r côr adeiniog
  'Nawr wedi colli'i blu;
Fe chwalwyd ei gynghanedd
  Gan y corwyntoedd cry'.

Mae chwedl dlysa'r oesoedd
  Fel gŵydd yr ŵyl yn awr
Yn garcas a lwyr grafwyd
  A'r esgyrn hyd y llawr.

'Does dim, yn wir, yn aros
  Ond baban llwm, di-lun,
Ond y mae hwnnw'n tyfu
  Tu hwnt i daldra dyn.

NADOLIG 1987

John Glyn Jones

A fydd y seren heno'n y golwg
Fel y gwelwyd honno
Yn aros a disgleirio
Ar ein byd trwy'i wyneb O?

DYMUNIAD

Derwyn Jones

Oes â'i hiraeth am Seren — a'i llewych
Yn llywio ffurfafen
Byd diddig, digenfigen,
Byd yn bod â Mab Duw'n ben.

YR HWYR AR NOSON CYN Y NADOLIG

Eirian Davies

Coron wen o loer nennog — â'i golau'n
Bugeilio nos feichiog,
Ac ar war un seren grog,
Y cymylau camelog.

NADOLIG

O. M. Lloyd

O bla enfawr y blinfyd — tro yn awr
Tua'r nef d'awyddfryd:
Yno seren a sieryd
Am ddyn bach, am Dduw i'n byd.

AWN I FETHLEM

Rhys Prichard

Awn i Fethlem, bawb, dan ganu,
Neidio, dawnsio a difyrru,
I gael gweld ein Prynwr c'redig
A aned heddiw, ddydd Nadolig.

Mae e 'Methlem wedi'i eni
Yn y stabal tu hwnt i'r ostri,
Am bob Cristion i gyflwyno,
Ac i roddi golwg arno.

Dyma'r Ceidwad a ddanfonwys
Tad tosturi o Baradwys,
I'n gwaredu rhag marwolaeth
Ac i weithio'n hiechydwriaeth.

Awn i Fethlem, bawb, i weled
Y dull a'r modd a'r man y'i ganed,
Fel y gallom ei addoli,
A'i gydnabod gwedi'i eni.

Ni gawn seren i'n goleuo,
Ac yn serchog i'n cyf'rwyddo
Nes y dyco hon ni'n gymwys
I'r lle sanctaidd lle mae'n gorffwys.

Mae'r bugeiliaid wedi blaenu
Tua Bethlem, dan lonychu,
I gael gweld y grasol Frenin;
Ceisiwn ninnau, bawb, eu dilyn.

Y mae'r plentyn yn y stabal
Gwedi'i drin gan Fair yn rial,
A'i roi i orwedd yn y preseb,
Rhwng yr ych a'i dadmaeth, Joseb.

Fe aeth y doethion i'w gyflwyno,
Ac i roi anrhegion iddo —
Aur a thus a myrr o'r gorau,
A'u presentio ar eu gliniau.

Rhedwn ninnau i'w gorddiwes,
I gael clywed rhan o'u cyffes;
Dysgwn ganddynt i gyflwyno,
A rhoi clod a moliant iddo.

Yn lle aur, rhown lwyr-gred ynddo,
Yn lle thus, rhown foliant iddo;
Yn lle myrr, rhown wir 'difeirwch,
Ac fe'u cymer drwy hyfrydwch.

Mae'r angylion yn llawenu,
Mae'r ffurfafen yn tywynnu;
Mae llu'r nef yn canu hymnau,
Caned dynion rywbeth hwythau.

Awn i Fethlem i gael gweled
Y rhyfeddod mwya' wnaethped:
Gwneuthur Duw yn ddyn naturiol
I gael marw dros ei bobol.

Awn i weld yr Hen Ddihenydd
A wnaeth y nef, a'r môr a'r mynydd;
Alffa oediog, Tad goleuni,
Yn ddyn bychan newydd-eni!

Awn i weled Duw y Gair,
Brenin nef, ar arffed Mair,
Gwedi cymryd cnawd dyn arno,
Yn fab bach yn dechrau sugno.

Awn i weled y Mab rhad,
Hŷn na'i fam, cyfoed â'i Dad;
Mab a Thad, y fam a'r ferch,
Yn lleia' eu sôn, yn fwya' eu serch.

Awn i Fethlem i gael gweled
Mair â Mab Duw ar ei harffed;
Mair yn dala rhwng ei dwylo
Y Mab sy'n cadw'r byd rhag cwympo!

Awn i weld concwerwr angau
Gwedi'i rwymo mewn cadachau,
A'r Mab a rwyga deyrnas Satan,
Yn y craits, heb allu cripian.

Awn i weled y Mesias,
Prynwr cred, ein hedd a'n hurddas,
Unig Geidwad ein heneidiau
Ar fraich Mair yn sugno bronnau.

Awn i weled had y wraig
A bwyntiodd Duw i bwnio'r ddraig,
Ac i 'sigo ei siôl wenwynig,
Am beri bwyta'r ffrwyth gwa'rddedig.

Awn i weld y Mab a ga'd
Yn rhyfedd iawn o'i fam heb dad!
A'i fam yn wyryf ieuanc oed,
Mam heb 'nabod gŵr erioed . . .

Y SEREN

Dewi Emrys

I'r Seren a fu'n gennad — iddo Ef,
    Rho, Dduw, ailenyniad,
  A dyged hon, dirion Dad,
  Y cedyrn at y Ceidwad.

Y DOETHION

I. D. Hooson

Pwy yw y rhain sy'n dod
    I'r ddinas ar y bryn,
Yng ngolau'r seren glaer
    Ar eu camelod gwyn?
Brenhinoedd dri yn ceisio crud
Brenin brenhinoedd yr holl fyd.

Blin fu y daith a hir,
    Heibio i demlau fyrdd
Duwiau y nos a'r gwyll,
    Dros anghynefin ffyrdd,
Yng ngolau'r seren glaer o hyd
At Dduw y duwiau yn ei grud.

Heibio i'r llety llawn,
    Heibio i'r llysoedd gwych,
Sefyll a phlygu i'r llawr
    Wrth lety llwm yr ych,
A gweled yno yn ei grud
Arglwydd arglwyddi yr holl fyd.

AWN I FETHLEM

T. Arfon Williams

A eilw i weld y plentyn glân ei wedd
    Ymlonydda'n syfrdan;
Yn chwil wyllt mae'r byd achlân
Am wibio heibio'r baban.

Y DOETH A WŶR

T. Arfon Williams

Isod i lety'r tlodion daw aer Duw;
    I'r doeth y mae'r Gwirion
Tlawd yn frawd, cans ger Ei fron
Ysigir tywysogion.

YR YMWELIAD Â BETHLEHEM

Alan Llwyd

Diflastod o lestr ein defod a gydyfem ni:
sur oedd y gwin, eithr gwelsom y seren ysblennydd
â'i goleuni fel goleuni rhagluniaeth, ac ymaith yr aethom ein tri
gan ddyheu am gyfnewid, am na chaem trwy'n heilunod lawenydd,

ein delwau am yr Ymgnawdoliad, ein duwiau o garreg a gwêr
am y Duw o gnawd, rhag ein hudo gan swae'r dawnswragedd:
diddanwch ni chaem mwy na chymun yn y grawnwin a'r pomgranad pêr
a'r bleiddiaid yn ffeuau'n heneidiau yn udo ein gwagedd;

ac fe'i cawsom, ar derfyn ein rhawd, yn nrewdod y dom
wrth fron y forwynig, a gwelsom y gorfoledd dirdynnol
yn llygaid y bugeiliaid gwelw, a chanfod, rhwng syndod a siom,
y Crist yn rhith baban distadl, yn Dduwdod dinod, dynol:

a chan amau'r wyrth y cychwynnem tua'n parthau dwyreiniol,
wrth i'r ceiliog glochdar o'i glwyd ei gân blygeiniol.

'OFFRYMASANT IDDO ANRHEGION'

O. M. Lloyd

Os rhai addas y rhoddion — i Frenin
    A gyfrannai'r Doethion,
  Gwêl anrheg yr anrhegion —
  Diau mai brawd — Mab yr Iôn.

Y SEREN

T. Arfon Williams

Ni wibia Seren Gobaith, ei llewych
    Sy'n lleuer i'n hymdaith
    Anorfod gan droi'n hirfaith
    Nos yn ddydd, a'n ffydd yn ffaith.

'GWELSOM EI SEREN EF'

O. M. Lloyd

Seren Iesu'r un noson — a welodd
    Bugeiliaid a Doethion.
Yma i ninnau mae'n union
Ar ein taith arweiniad hon.

Y DOETHION

Gwilym Herber Williams

Y rhain o'r Dwyrain sy'n dod — i siarad
    Am seren wrth Herod:
Ymholi ar gamelod
Am Un bach, y mwya'n bod.

Y RHODDION

T. Arfon Williams

Anrheg aur i'r Un Rhagorol a rown,
Thus yn rhad i'r Nerthol;
Gan gwblhau ein ffafrau ffôl
Rhown fyrr i'r Gŵr Anfarwol.

Y DOETHION

R. J. Rowlands

Gobaith yn gloywi ysgubor, — a gwae
Y gwyll yn dygyfor
Daw gwŷr da i agor dôr
Yr oesau ar y trysor.

Y DOETHION

Ronald Griffith

Mae olion sang camelod — yn dirwyn
   O bellterau'r tywod;
   Er llid a dicter Herod
At ras ein Duw tri sy'n dod.

'AWN HYD BETHLEHEM, A GWELWN'

O. M. Lloyd

Seren y dwyrain, ar sut wedd
Y sgleiniodd dy lewych hardd mewn hedd?
   Ni feddaf eiriau am ei drem,
   Ewch draw i weld i Fethlehem.

Y Doethion dri, pa ryfedd rin
A'ch gyrrodd ar eich siwrnai flin?
   Atebwyd ein cwestiynau'n awr;
   Dewch chwithau at y Brenin Mawr.

Paham, y creaduriaid mud,
Y rhoesoch breseb gwair yn grud?
   Ni allwn roi ond isel fref.
   Dewch, teimlwch ei gyfaredd Ef.

Fugeiliaid garw, pa gerdd a faidd
Liw nos eich denu oddi wrth y praidd?
   Pe gwrandawech chwithau, aech mewn hoen
   I syllu ar y Dwyfol Oen.

Joseff, o'r cysgod dywed air,
Esbonia eni bachgen Mair.
   Amheuwyr, dewch yma heb nacâd
   I weld y wyrth: mae Duw yn dad.

Fair wynfydedig, rho i ni
Ryw gyfran o'th gyfrinach di.
   Cadwaf ynghudd y pethau hyn.
   Dewch chwi i weld fy mebyn gwyn.

Y TYSTION

Alan Llwyd

Pwy oedd y bugeiliaid hygoelus
a fu'n rhegi oerfel y borfa, ac yn diolch i'r drefn
am esgus i wasgu i glydwch goleudwym y ffaglau,
y bugeiliaid esgeulus a naddodd y dydd anrhydeddus
ar galendr eu hoes ofergoelus,
y gwerinwyr hynny a benliniai, ac a grymai gefn
ger y wyrth yn y carthion, y miragl dan fudreddi'r caglau,
gan deimlo, wedi'r dydd a'i ludded, yn lled-orfoleddus?

A phwy oedd y brenhinoedd hynny,
y tri ymwelydd eneidwag a fu'n taer ymholi
ar eu siwrnai hir o'r dwyreindir am ryfeddod y Drindod
honedig yng nghnawd yr un bach, y Creawdwr creëdig?
Ond er canfod y Duwdod yn ddyndod nid oedd undim i'w synnu:
ni welsant ogoniant y Gair, na'r ysbrydol wedi ymgnawdoli,
eithr yno'r oedd Crist, ar derfyn eu pererindod,
ynghudd yn ei ddatguddiad, yn weladwy ac yn anweledig.

Y GOLUD

Ieuan Wyn

Gwelodd y gwâr fugeiliaid — wyneb mab
    Ymysg creaduriaid;
    Y Mab pur yn llety'r llaid,
    A'r dwyfol gyda'r defaid.

Gwelodd y triwyr golau — yr Iesu
    Yn drysor eneidiau;
    Cyfrinach mewn cadachau,
    Doethineb mewn preseb brau.

O na welem y golud, — a'i weled
    Gyda'r galon hefyd;
    Gweld y bach ac ildio byd
    Am aur y mawr Ymyrryd.

I DRI BRENIN CWLEN

Pennar Davies

Y Doethion gwirion a ddaeth o'r Dwyrain,
Ai doeth oedd gadael
Y marweidd-dra trystiog mud
A cheisio Dymuniant yr holl genhedloedd
A Brenin breintiog y byd?

Yr un oedd eich doethineb gwallgof, gwyllt
Â braf ffolineb Abram gynt
A aeth allan heb wybod i ba le
Yr oedd yn myned.
Doeth a dewrwych oeddech, fel efe.

Yr un oedd eich ffolineb uchel, erch,
Â mawr ddoethineb Mab Duw
A'i gwacaodd ef ei hun
Ac a wnaethpwyd yn gnawd, drosom ni.
Ffôl a ffyddlon oeddech, fel Mab y Dyn.

Chwi a gawsoch y Mab a geisiasoch:
Rex regum et Dominus dominantium,
Y dechrau a'r diwedd, y bachgennyn byw.
A rhoesoch chwi iddo aur a thus a myrr —
I Fab y Dyn ac i Fab Duw.

Diniwed oedd
A gwan a distadl,
Yn wylo
Ar liniau'i fam,
A rhwng ei dwylo.

Diwedd eich taith oedd dechrau eich teithio.
Crwydro wedyn, a chwilio, a gorffwys,
Ganrif ar ôl canrif wyw.
A dal i grwydro eto, a'r byd yn rhyw led-gofio
Campweithiau Mab y Dyn a Mab Duw.

Yng Nghwlen, meddant, mae eich creiriau,
Yn gymysg bellach â chreiriau Cred.
Mentrwch allan, y Doethion, mentrwch, ewch.
Mae'r sêr yn amneidio a'r babanod yn wylo yng Nghwlen:
Ceisiwch, a chwi a gewch.

CANIADAU

CAROL Y CREFFTWR

Iorwerth C. Peate

Mewn beudy llwm eisteddai Mair
ac Iesu ar ei wely gwair;
am hynny, famau'r byd, yn llon
cenwch i fab a sugnodd fron.

Grochenydd, eilia gerdd ddi-fai
am un roes fywyd ym mhob clai;
caned dy droell glod i Dduw
am un a droes bob marw yn fyw.

Caned y saer glodforus gainc
wrth drin ei fyrddau ar ei fainc;
molianned cŷn ac ebill Dduw
am un a droes bob marw yn fyw.

A chwithau'r gofaint, eiliwch gân,
caned yr eingion ddur a'r tân;
caned morthwylion glod i Dduw
am un a droes bob marw yn fyw.

Tithau, y gwehydd, wrth dy wŷdd,
cân fel y tefli'r wennol rydd;
caned carthenni glod i Dduw
am un a droes bob marw yn fyw.

Llunied y turniwr gerdd yn glau
wrth drin y masarn â'i aing gau;
begwn a throedlath, molwch Dduw
am un a droes bob marw yn fyw.

Minnau a ganaf gyda chwi
i'r Iddew gynt a'm carodd i;
caned y crefftwyr oll i Dduw
am Iesu a droes bob marw yn fyw

CAROL PLYGAIN

Thomas Edwards (Twm o'r Nant)

O! ymostwng ddyn a gwêl ryfeddod,
'Mostyngiad Iesu mewn byd isod;
Yn lle goruchel ddinas lydan
Dyfodfa hwn oedd Bethlem fechan;
Yn lle plas gwerthfawr wedi'i drefnu
(Ac eiddo bydol) fe ga'dd y beudy;
  Yn lle crud a gwlanen glyd,
    A hyfryd ddilladau,
Câi'i roi'n y preseb mewn cadachau,
Ar wellt neu wair gan Fair yn fore.
Tydi, bechadur, teimla 'chydig,
A gwêl dy brynwr bendigedig;
  Pa fodd 'rwyt ti, trwy gnawdol fri,
    'N ymgodi mewn rhyfyg?
Y tlawd yn yr ysbryd, enaid unig,
Mae Crist yn dywedyd fydd cadwedig.

A Christ yw'r gair, gwirionedd eglur,
A ffordd y bywyd i bechadur;
Y Duw diddechrau o dragwyddoldeb,
Fu'n newydd-eni ar lawr y preseb,
Yr holl gyfoethog nerthog wyrthiau
Fu'n ddyn tlawd yn gwisgo bratiau;
  A thyma'r dyn perffaith lun,
    Sy'n un i'n gwneud ninnau
Yn ôl ei dirion gyfiawnderau,
Ac iawndda fywyd yn ddifeiau:
Trwy waed yr Oen gwnaed perffaith olchfa
Mewn golau fawredd ar Galfaria ;
  Pob llygraidd llawn a wnaeth e'n iawn,
    Trwy gyflawn awdurdod;
Yn y creadur newydd hynod,
Dewisa' buchedd, nid oes bechod.

ALAW'R NADOLIG

Alan Llwyd

Un alaw yw'r ddynoliaeth, — un cord yw'r
  Cread oll: tonyddiaeth
  Pob cân i gytgan yn gaeth,
  Ac un ydyw'r ganiadaeth.

CAROL NADOLIG

Huw Morys (Eos Ceiriog)

Dewch i Dref Ddafydd i ganu blygeinddydd,
  Daeth heddiw lawenydd o newydd da i ni;
Fe anwyd y maban, pen bugail y gorlan;
  Ni fynnai ein cau allan i'n colli.

Dewch, bechaduried, awn gyda'r bugeilied,
  Hiraethed y deillied am weled Mab Mair;
Angylion, dan ganu, a ddaeth i'n haddysgu
  I addoli Duw Iesu dewisair.

Awn gyda'r doethion i ymweled â'r Cyfion,
  Tan gynnig ein rhoddion, taer foddion, trwy fawl;
Rhown iddo'n calonnau, a serch ein heneidiau,
  Trwy glymu ein bwriadau'n briodawl.

Awn i'r eglwysydd, i wrando ei leferydd,
  O'i eiriau gwnawn ddefnydd, yn gelfydd ein gwaith;
Wel, dyma'r dydd cymod, i fynd i gyfarfod,
  Y Drindod mewn undod uniawndaith.

Â'n bronnau'n ddrylliedig, mewn gwedd ostyngedig,
  Awn at ein meddyg bonheddig, ben hawl;
Adda a droseddodd, yr hollfyd a gollodd,
  A Christ a'i henillodd yn hollawl.

Dewch yn galonnog at Iesu, ein Pen T'wysog,
  Y sawl sydd yn llwythog neu feichiog o fai;
Efe 'ddwg y ffyddloniaid o ffyrdd pechaduriaid
  I gorlan ei ddefaid yn ddifai.

Rhag bod yn friwedig gan golyn gwenwynig
  Y sarff felltigedig, gythreulig gaeth rwyd,
Mae'n fadws prysuro, trwy ffydd i'n cyfarwyddo,
  I geisio'r gwir Seilo a groeshoeliwyd.

Trwy ing a chwys gwaedlyd y bu yn ei benyd,
  Er achub yr iechyd yn wynfyd i ni;
I'n dwyn yn drigiannol i'w ddinas feddiannol
  Yn genedl o ganol drygioni . . .

CAROL NADOLIG

Dafydd Ddu Eryri

Rhyfeddol weithredoedd Trugaredd,
Sef prif Briodoledd ein Duw;
Trugaredd a garodd dros fesur
Bechadur llwyr amhur ei ryw:
Trugaredd o'i blaid sydd yn eiriol,
Trugaredd anfeidrol sy'n fwyn;
Pan lefo fe, yng ngolwg ei waeledd,
Fe wrendy Trugaredd ei gŵyn.

Mae achos o syndod anhraethol
Yng nghariad arfaethol Nef wen;
Doethineb a gallu tragwyddol
A ddaeth â'r gwaith bywiol i ben.
Trugaredd i'r eiddil Bechadur
Rydd gysur yn wyneb ei gas,
Gogoniant tragwyddol i'r Iesu
Am drefnu cyfamod o ras!

Mab Duw yn dragwyddol a folir
Pan gywir edrychir y drefn;
Er inni drwm-gwympo, drwy bechu,
Gwnaeth ffordd i'n dyrchafu drachefn.
'Roedd cyfraith ufudd-dod gweithredol
O fewn i'r Iôr oesol yn reddf:
Ei angau gwnaeth iawn i gyfiawnder,
Heddychodd holl ddicter y ddeddf!

Mae'r Iesu yn llawn trugarogrwydd,
Ond llawn o gyndynrwydd yw dyn
Heb weled dim niwed mewn pechod
A chanfod drwg waelod ei wŷn;
Ond cymell mae'r Iesu bendigaid
Y ffordd i bob enaid gael byw:
Ynfydrwydd yw gwrthod y cynnig
Mae'n dda fod in Feddyg yn fyw.

Mae'n dost fod un dyn yn boddloni
I ddilyn trueni trwy oes
Heb gyfran yn haeddiant rhinweddol,
Effeithiol waed grasol y groes,
Heb ddilyn yn lân ordinhadau,
A chyson gordiadau gair Duw,
Ac ymbil am ysbryd mwy sanctaidd
A thymer nefolaidd i fyw!

Mae'r Gair o ysbrydol ddoethineb
Yn dangos tiriondeb Duw Tri;
Datguddiwyd, amlygwyd y Logos
Yn gâr, a dyn agos i ni:
Gan hynny datganed pob genau
Ei fawl ar fin borau'n fwyn bêr.
Dangoswn yn ffrwyth ein hufudd-dod
Ein bod yn adnabod Duw Nêr.

BOED NOËL
(Efelychiad)

Euros Bowen

Praidd ar y twyn yn gryno,
Gwyliai bugeiliaid yno,
Draw ar y twyn,
Tawel a mwyn:
  Boed Noël Noël Noël.

Yna'r oedd cân yn hoyw,
Awyr y nos yn loyw,
Llawen y gân
Yno a glân:
  Boed Noël Noël Noël.

Golau uwchlaw'n ymdaenu,
Rhyfedd uwch bro'n lledaenu,
Gwylwyr mewn braw,
Plygu gerllaw:
  Boed Noël Noël Noël.

Engyl yn awr yn canu,
Newydd oedd dda'n datganu:
Brenin sy fawr
Yma i lawr:
  Boed Noël Noël Noël.

Mab oddi fry a rodded,
Preseb sy'n wyn o'i nodded;
Ceisiwch yn hy,
Seren o'n tu:
  Boed Noël Noël Noël.

Gwylwyr yn hir ryfeddu,
Aethant dan ogoneddu,
Noson yn ir,
Seren glir:
  Boed Noël Noël Noël.

Baban yn llun gogoniant,
Hwythau am Dduw a soniant:
Crymai pob un,
Plygai pob clun:
  Boed Noël Noël Noël.

CAROL

Saunders Lewis

Pam mor llachar, sêr y nos,
Pleiades a Seirios?
Christus natus hodie,
Goleuni'i hun, yn Dduw a dyn, a anwyd.
I bwy mae'r môr yn canu'i rŵn,
Awel leddf yn lwlian sŵn?
Ex Maria Virgine,
I faban nef ym Methlem dref a gafwyd.

Noël. Noël. Noël.
Ar ganolnos gudd, serennog,
Heb na chri na gwewyr esgor,
Llithrodd Iesu, berl y nef, o groth ei fam.
Noël. Noël.

Seraffin a Cherwbin,
Pa ryfeddod aned in?
Ecce qui creavit nos,
Mae'r nef yn salm, fe gafwyd balm Gilead.
Sabwlon a Nafftali,
Darfu'ch hir gystuddiau chwi,
Lux fulgebit super vos,
Fe heuwyd gwawr fel gwlith ar lawr y cread.

Noël. Noël. Noël.
Ar ganolnos gudd, serennog,
Heb na chri na gwewyr esgor,
Llithrodd Iesu, berl y nef, o groth ei fam.
Noël. Noël.

CAROL Y BUGEILIAID

Cynan

Cyneuwch y lantarn, hogia',
  A chodwch beth ar y wic
Nes bod golau fel aur ar yr eira,
  — A rŵan am y tenor-'na, Dic.
Cenwch eich carol o groeso i'r ŵyl,
Pob llais ar ei orau a phawb mewn hwyl.

Mae 'na ddisgwyl mawr wrthym heno
  Drwy bentra' bach Trefriw i gyd,
Pob ffenest' wedi'i goleuo
  Ym mhob parlwr ffrynt trwy'r stryd.
A'r celyn a'r trimins a'r clychau aur tlws
Yn cyrraedd o'r silff-ben-tân i'r drws.

Dowch ymlaen, mae plant bach y dreflan
  Yn disgwyl am garol o'r stryd;
Mae'u hosanau yn awr wedi'u hongian,
  Ond yn effro y maen' nhw i gyd
Nes clywed o'r gwely'r hen gân wrth y drws
Am fugeiliaid a ddaeth at ryw faban bach tlws.

Cawn droi i dŷ'r person yn ola'
  Am ei fendith ar waith ei gôr
O Lanrhychwyn yn canu carola'
  Drwy'r pentra'; a chawn brofi o stôr
Ei wreigdda groesawus, a'i mins-peis yn rhad
A 'phaned o de i hen hogia'r wlad.

Mae 'na bobol a fynnai'n dirmygu
  Am amgylchu'r ardal fel hyn
Yr un fath â'n tadau, i ganu
  Carolau'r Nadolig gwyn,
A'r byd yn arswydo rhag rhyfel a'i bla
Heb gredu fawr ddim mewn ewyllys da.

Ond mae'n well gen i'r ffydd fu'n arwain
  Ein tadau i'r llan tan y sêr
I gynnal gwasanaeth plygain
  Yng ngolau'u canhwyllau gwêr
Ar garolau'r hen Gowpar a Thwm o'r Nant
Pan oedd enw Boni yn ddychryn i'r plant.

O ydi, mae'n well gen i gredu
   I'r Ffydd a'u cynhaliodd hwy
Pan oedd cyni a thlodi'n ymledu
   Tros Gymru o blwy i blwy,
Ac a'u nerthodd trwy bob profedigaeth lem
I ganu am Seren Bethlehem.

'Dydan ni ddim yn 'enwog ddatgeiniaid',
   Nac yn gôr eisteddfod, ta' waeth;
Dim ond dau neu dri o fugeiliaid,
   A gyrrwr y lorri laeth,
A merched o'r offis a'r ffatri wlân,
Ond fe rown ein calon i gyd yn ein cân.

A chofiwch chi, gwmni diddan,
   'Rydan-ni heno'n rhan o gôr
Aneirif trwy'r ddaear gyfan
   Sydd yn canu 'Gogoniant i'r Iôr',
Gan ddarlledu'r newyddion da i bob tir,
Newyddion rhy dda, gan rai, i fod yn wir.

Felly, codwch yn awr eich lanternau
   Fel aur ar yr eira gwyn,
A chodwch eich llawen leisiau
   A rhown dro dros un garol 'fan hyn,
Unwaith eto, â'ch ffydd yn y dwyfol air,
Cenwch i'r Baban ar liniau Mair.

CAROL

Gwyn Thomas

Yn dawel-olau yn y nos
   Symudai seren glir
Trwy oerni du y nefoedd wag,
   Seren y cariad hir.
Yn llwybyr hon y teithiai tri
   O bellter mawr y byd,
Yn ddoeth yn dilyn tua'r fan,
   At faban Duw mewn crud.

Ar faes yn nos y wlad gerllaw
   A thwllwch oer y lle
Yr oedd bugeiliaid wrth eu gwaith
   Dan lygad maith y ne'.
A golau angel arnynt hwy
   Ddisgleiriodd yno'n fawr
A dychryn enbyd, ofnau dwfn,
   A'u bwriodd hwy i lawr.

Ond neges addfwyn, neges Duw
   Dawelodd boen eu braw,
A lliw yr angel lanwai'r nos
   Fel cawod aur o law.
'Ewch tua Bethlehem yn awr
   Ar wawr y bore mud,
Ewch at y preseb, at y Mab,
   At Dduw a ddaeth i'r byd.'

Ar las y dydd, at breseb Mair
   Yng ngwair y stabal dlawd
Y closiodd dynion, gwych a llwm,
   I weled Duw o gnawd.
Mae'r uchel fore wedi dod
   Ar ôl yr aros hir,
Mae golau'n tyfu yn y nos
   A bywyd trwy ein tir.

AR NOSON FEL HENO

T. Llew Jones

Ar noson fel heno
Yng ngwlad Iwdea gynt,
A'r sêr yn llond yr awyr
A'r gaeaf yn y gwynt,
Fe aned yno i'r Forwyn Fair
Ei baban bach ar wely gwair.

Ar noson fel heno,
A'r dref yn cysgu'n drwm
Fe ddaeth bugeiliaid ofnus
At ddôr y llety llwm;
Ac oddi yno syllu'n daer
Ar wyneb annwyl baban Mair.

Ar noson fel heno,
Dros erwau'r tywod poeth,
O'r dwyrain pell i Fethlem
Fe ddaeth tri brenin doeth
I blygu'n wylaidd yn y gwair
I roddi mawl i faban Mair.

Ar noson fel heno
Cawn ninnau gofio 'nghyd
Am eni, yn Iwdea,
Waredwr mwyn y byd,
A chanwn gân i faban Mair
A aned gynt ar wely gwair.

CAROL

(i'w chanu gyda'r delyn)

Gwyn Erfyl

Cofiwn am eni ein baban gwyn
A chanu angylion ar ddôl a bryn,
Cofiwn am Fair yn ymbil â Duw
Am nerth i gychwyn rhyferthwy Ei fyw,
A chysgai Bethlem a'i theios clyd
Heb wybod fod Iesu yn crwydro'r stryd.

Ond ysigwyd Herod gan siglo'r crud
A chwalodd Ei chwerthin ochneidiau'r byd,
Y Seren syfrdanodd holl sêr y nef
A'r bugeiliaid yn baglu i'w ddilyn Ef,
Y seren fu'n eirias yng ngweithdy'r saer
Yn galw brenhinoedd i'w breseb gwair.

Cofiwn Simeon, hen batriarch llwm,
Yn canu gorfoledd ei henaint i Hwn,
Ac Anna unig yng ngwyll ei chell
Yn gweled Gwaredwr y gobaith gwell,
Mynnwn anadlu Ei newydd hoen
A syndod Ei seren tros erwau'r boen.

Gorchfygwn hen fyd sy'n dragwyddol drist
A synnwn weld Cymru'n croesawu'r Crist.
Daeth mewn cadachau, aeth mewn drain,
Ond heno, a'n hoes dan y bicell fain,
Seiniwn ein salmau, dyblwn y gân,
Mae hedd di-gledd yn Ei ddwylo glân.

GOLEUADAU AC ADDURNIADAU

ADDURNO'R GOEDEN

Alan Llwyd

Bob blwyddyn fel hyn fe gyflawnwn
y ddefod i ddathlu rhyfeddod y geni herfeiddiol;
cyrchwn y goeden Nadolig sgraglyd o'r groglofft,
a thynnwn yr addurniadau o'u blychau blêr:
rhown angylion plastig ar flaenau'r brigau
a pheli gwydr yn ei phlygiadau,
a bydd gwyrth fendigaid yn digwydd, gwyrth wrth ei gweld
yn gweddnewid yn ein gŵydd yn dân i gyd
wrth i'r fflamau o liwiau loywi'n
hwynebau. Try'r weithred o addurno'r goeden anniben
yn sagrafen ryfedd,
sagrafen hardd i gofio am yr esgor fin hwyr
yn y stabl yn Ninas Duw.
Fe gyflawnir miragl drwy gyfrwng y goeden sgraglyd,
a thry'r tinsel a'r aeron yn anrhegion y Mab yn y rhygwellt,
a'r ffug-angylion yn genhadon y Duw o gnawd;
ac wrth ei gweld dan gwrlid ei gweddnewidiad,
yn cynnau i gyd, efallai y cawn ninnau gip
ar gyfrinach y Rhagfyr hwnnw,
neu'r Ionawr hwnnw,
y ganed Mab y Gogoniant.

Dieithr mewn byd anystywallt yw gweithred mor goeth
â gweinyddu'r sagrafen ogoneddus,
a chymuno am ennyd fel hyn â'r wyrth a gyflawnwyd:
lled-ddirnad, dan daenelliad addurnwaith
y goeden, ryfeddod y geni,
lled-amgyffred ymgnawdoliad y Gair,
hed fedru'i amgyffred, gan mor ddieithr oedd y weithred wych.
Nid oes na hedd na thangnefedd yn ein dyddiau ni:
mae parwydydd yr eglwys yng Ngogledd Iwerddon yn waed,
a thros orwel ein pryderon
cyfyd coeden lwth ein dwthwn diwethaf oll,
ac arni ddarnau o gnawd a gwêr yn addurnwaith.
Y mae wybren borffor y goeden yn fferru'r gwaed
ac yn gwasgu'r holl lawenydd o'n calonnau.

Yr ofnadwyaeth yng nglendid y sagrafen dawel
am ennyd fer a linierir, dan y celyn a'i aeron;
am eiliad trech na malais
hyn o fyd yw'r ddefodaeth,
trech nag ergydion trwm
y bomiau pell sy'n tarfu ar gwsg dy bump oed,
ond os pery'r llawenydd drwy gydol dyddiau'r Nadolig
ni phery wedi hynny'n hir:
eisoes yn y nos y mae'r flwyddyn yn anadlu'n waedlyd
wrth i awr ei thymp nesáu, gan ddyfnhau ein hofn,
blwyddyn newydd â'i bedydd yn bydew o waed,
a bydd clychau'r Calan yn cnulio
    i ddadwneud yr holl addewidion drud,
    i ddadrithio pob breuddwyd i'r eithaf.

ADDURNIADAU NADOLIG

T. Arfon Williams

Llwm a thawel y gwelaf fy aelwyd
    Nadolig, a chodaf
Yn y tŷ, gan belled Haf,
Liwiau gwiw pawl y Gaeaf.

Y GOEDEN NADOLIG

I. D. Hooson

Ar ganol bwrdd y parlwr
　Fe dyf y goeden hardd,
Ac arni ffrwyth nas gwelwyd
　Ar un o brennau'r ardd;
Mae yno farch a modur,
　A chi, a llong, a thrên,
A doli fawr las-lygad,
　Balŵn ac eroplên.

Mae yno filwr hefyd
　Yn cario'i utgorn plwm,
A llongwr llaes ei lodrau
　Yn pwyso ar y drwm;
Ac ar ei lwyfan brigwyn
　A'i wasgod fel y tân,
Mae Robin yntau'n sefyll
　Yn barod i roi cân.

Ust! tewch! — mae'r milwr bychan
　Yn chwythu'r utgorn plwm,
A'r llongwr llaes ei lodrau
　Mewn hwyl yn curo'r drwm;
A Robin yn ymsythu,
　Gan ddechrau ar ei gân,
A minnau'n deffro'n sydyn
　O'm trymgwsg wrth y tân.

GOLEUADAU'R NADOLIG

Ieuan Wyn

Mae'r Groes, a marw gŵr ysig, — yn gwelwi'r
　Gwawl newydd-anedig;
　Gwaed a braw cysgod ei brig
　Yn dylu pob Nadolig.

72

NADOLIG
(i Huw)

Rhydwen Williams

Mae'n Nadolig eto . . .
Tawdd fel pelen-eira fy nghalon yn fy nghorff,
hon a fu'n eiddo i ddegau (y Nadolig a'u geilw i gof)
hon a fu'n chwerthin a chwarae iddynt hwy, hudoles a slaf,
a hwythau'n dyfalu ai nef, annwn, siwgr neu sarff
oedd o'i mewn . . . Mae'n Nadolig eto.

Pigaf gneuen rhwng deuddant . . . Hwyl, hogyn!
Duw a'th roddodd â phum golau, dy gaer o graceri.
Wyt Adda ac Adda'r Ail; rhwng y sgiw a'r sgwleri
mae d'Eden a'th Fethlehem. O'u ffynhonnau, ŷf!
Pigaf innau'r gneuen sych . . . O, na fedrwn goelio
fod Santa Clos dan y clogyn!

Ond ni wedda i'm ffydd na'm hymennydd mwy
ffug; ni hed fy nychymyg i ar chwa
i'r ogofâu. Ogof wyf. Rhewfysedd yn dripian
oriau, gwacter fel tafod yn sipian,
oriau a gwacter heb goffrau, môr-ladron, Aladin, da-da.
Dim — ond y belen-eira'n toddi. Eiliad neu ddwy

ni bydd . . . Hogyn, mae'n Nadolig eto!
Wyt Dduw. Dywedi, 'Bydded goleuni, pinc, brown, gwyrdd,
          ambr, melyn a glas';
a goleuni a fydd. Eiddot ti yw'r bydoedd — mewn bocs!
Minnau, ni welaf Gwlifer yn gaeth na Sinderela'n ei rhacs;
cerddaf luwch-eira'r Nadoligau. Ailgeisiaf yr ias.
Ond cracia di'r craceri, Huw bach! . . . Mae'n Nadolig eto.

Y GOEDEN NADOLIG

Dic Jones

Pren y plant a'r hen Santa, — a'i wanwyn
    Yng nghanol y gaea';
  Ni ry' ffrwyth nes darffo'r ha',
  Nid yw'n ir nes daw'n eira.

COEDEN NADOLIG

Gwyn Thomas

Rhaid i ddynion wrth lawenydd,
Llawenydd fel goleuadau a lliwiau
Wedi'u clymu am goeden Nadolig;
Mae digon o hirlwm mewn bywyd.

Dagrau. Sut y mae cadw rhag dagrau
Ryw gongol ynghanol ein byw?
Onid â dydd o lawenydd
Ffit i eni mab Duw?

Fel bod rhyw lygedyn ryfedda'
Yn torri trwy asgwrn y byd
Fel llun o ryw hen ddymuniadau
Sydd rywle 'nghalon dynion o hyd.

Ynghanol byd lle mae'n bosib i blentyn
Fel hen ambarel gael ei gau gan newyn,
Lle mae gwaed byw ar y strydoedd,
Lle mae casineb fel peirianwaith
Yn hel bywyd yn sbwriel yn domennydd
Fel coeden Nadolig y mae pren sydd yn tyfu
Yn frith o oleuni, a'i liw fel llawenydd.

Y GOEDEN

T. Arfon Williams

Llu Nef fydd yn llawenhau y dwthwn
Y gwelwn ei golau
Yn glir, a chrogir yn glau
Angau'i hun o'i changhennau.

COEDEN NADOLIG

Dic Goodman

Aerwy a seren arian, a golau
Drwy gelyn yn wincian;
Angel ar bigau'n hongian
Ymysg y teganau mân.

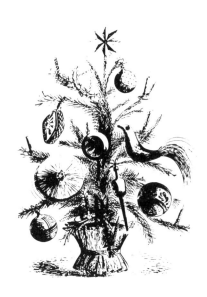

GOLEUADAU

Rhydwen Williams

Cafodd y Pensaer Dwyfol syniad barddonol dros ben
pan ddyfeisiodd y goleuni a hongian lampau yn y nen;
a chan mai dynwarediad yw'n meidroldeb yn y byd,
nid yw'n syndod ein bod ninnau'n gneud yn debyg o hyd.

Ni fedrwn fyseddu'r sêr o'n llochesau ar y llawr,
na rhoi proc dan fwyleri'r heuliau mawr;
ond gallwn hongian ryw gadwyni o'r bae i'r bryn
o oleuadau bach dynol — coch, melyn a gwyn.

Ac 'r ôl baglu am flwyddyn rhwng y niwl a'r nos,
mae'n braf dod i dymor lle y mae'r wybren yn rhos;
pob sant yn Santa, pob coeden yn wyrth,
haelioni'r heolydd, paradwys y pyrth.

Mae rhywbeth gogoneddus a gwaredigol iach
pan yw'r byd fel y tu-mewn i feddwl plentyn bach.

Y GOEDEN NADOLIG

T. Arfon Williams

Yn enw Cariad, paid â'i gadel yn hagr
    I wgu'n y gornel;
    Dwy owns neu lai o dinsel
Wna'r wrach ddu'n briodferch ddel.

Y GOEDEN NADOLIG

T. Arfon Williams

Rhydd Tad y tirion ogoniant wydden
    Tragwyddol ei thyfiant,
    A'r blin anniolchgar blant
    Ei hanrhegion a rwygant.

DATHLIADAU

GWAHODDIAD I FOLI IESU GRIST

Rhys Prichard

Dewch, bawb, yn garedig,
Yn ffres ac yn ffrolig,
Yn awr y Nadolig i foli Mab Duw,
Â salmau a hymnau
Yn hwyr ac yn fore,
Am gadw'n heneidiau rhag distryw.

A threuliwn ei wyliau
Er cof am ei ddoniau,
Y modd ag y gweddai i ŵyl Iesu gwyn,
Mewn nefol hyfrydwch,
A duwiol ddifyrrwch,
A phrudd ddiolchgarwch boed gennyn.

Mae'r Arglwydd yn peri
In, bawb, fod yn firi,
Yn llawen, a llonni mewn llan ac mewn llys,
Yn Awdwr ein heddwch,
A Thad ein diddanwch,
Trwy fod ein difyrrwch yn weddus.

Gan hynny'n enwedig
Yn awr y Nadolig,
A'r galon yn ffrolig, a'r wyneb yn ffres,
Gwir orfoleddwch
Yn Awdwr ein heddwch,
Rhowch ymaith bob tristwch anghynnes.

Trwsiwch eich teiau,
Arlwywch eich byrddau,
A phob sir o'r gorau o gariad at Grist;
Gwahoddwch eich gilydd
I gynnal llawenydd:
Na chedwch ei wylddydd yn athrist.

Cwnnwch eich calon,
Cymerwch eich digon,
Gochelwch ormoddion, mae meddwi yn gas;
Na cheisiwch lawenydd
Mewn diod a bwydydd,
Ond yn eich Achubydd mawr addas.

CAROL Y WIROD

Anhysbys

Dyma wirod, Mair yn dyfod,
Er mwyn Mair wen, byddwch lawen:
Caned pob dyn i Fair forwyn
A ddug Iesu gwyn i'n prynu.
Danfonodd y Tad ati gennad,
Y glân Angel, hwn oedd Gabriel:
Fo'i cyfarchodd, fal y'i parodd,
'Cyflawn wyt ti o ras, Mari,
Bendigedig, wyt un unig,
Fair o fawredd, ymysg gwragedd;
Dy ffrwyth hefyd fydd i'r hollfyd
Fawr lawenydd yn dragywydd.'
Ar ei glinie yr aeth hithe
I ddiolch i'r Tad am ei roddiad:
Fo fu nawmis dan ei gwregys,
Ac eto Mair oedd yn ddiwair.
Dyna urddas fod Meseias
Trwy air a'i rym yng nghroth morwyn:
Yno y ganed y gogoned
Yn nhre Fethlem mewn côr ychen.
Ar wythfed dydd bu fo yn ufudd,
Darfu enwaedu ein Harglwydd Iesu.
Cododd seren draw yn y dwyren
I gyfeirio y doethion ato,
A'r tri brenin duwiol, dichlin
Addolason' y mab gwirion:
Aur, myrr a thus wrth ei 'wyllys
Ar eu glinie rhoeson' hwythe.
Gwedi darfod deugain niwrnod
Rhaid oedd yno fynd i'w phuro
Ar yr allor, e roed ordor
Rhoi canhwylle cŵyr yn ole.
Offrwm perffaith gwnaeth hi unwaith,
Sef Mair ei fam, ar y baban,
A dwy g'lomen eurlliw aden
A 'ffrymodd hon at hen Simion:
Yr oedd darogan iddo ar gân
Y câi i'w freichiau y mab a'n prynai,
A phan gafodd a ddymunodd
Canodd ar frys *Nunc Dimittis,*
Ac ar hynny moeswch ganu
I Fair foliant drwy ogoniant.

ARFER Y NADOLIG

Siôn Prys

Arfer y Nadolig yw
Rhodio'r nos lle bytho gwiw
I edrych p'le bo diod dda
A wnaed er Mawrth cyn dechrau'r ha':
Yma y clywsom fod
Wrth ddywad trwy yr ôd
Ddiod sydd yn haeddu clod;
Dymunwn inne gael
Gŵr y tŷ mor hael
A galw amdani yn ddi-ffael.

Ni ddaethom ni yma o chwant
I gael ein meddwi fel y daeth cant;
Nid oes ohonom ninne chwaith
Yn y cwmni ond chwech neu saith,
A rhai yn ddynion glân,
A chanu a wnân',
Ac eiste wrth y tân.
Ni fynnan' ddrwg yn wir
I neb o fewn y sir,
Na malais i ddim ond i'ch bir.

Codwch weithian, gŵr y tŷ,
Gelwch am y ddiod ddu,
Ac estynnwch hi oddi draw
Yn 'wyllysgar yn fy llaw;
Minne yfaf yn fain
Gwpaned at y rhain
Sy amdani ar y drain;
Nhw yfan' bawb ei siâr,
Syched mawr a'i pâr.
Nid oes yma ond a'i câr.

Gwell unawr o lawenydd,
Ffei, na bod mewn prudd-der beunydd;
Gwell i chwithe fod yn ffri
Na chael anghlod gennym ni.
Os croeso a gawn
Diolch a wnawn,
A'ch canmol fore a phrynhawn;
Ni ddown ni yma ychwaith,
Coeliwch chwithe ein hiaith,
Nes dywad pen y flwyddyn faith.

NADOLIG

E. Llwyd Williams

Cleddwch yr ŵyl, nid yw ond ysgerbwd,
Esgyrn y ginio, ysbwriel y wledd.
Teflwch i'r Baban yr hosan deganau
A pheidiwch â son am aur, thus a myrr.
Gyrrwch gerdyn cydwybod y gardod
I gyfaill a gofiwch;
Dyna'r ffasiwn a'r ffws.
Ni chlyw'r bugeiliaid ganu'r angylion
Lle bloeddia'r utgyrn,
Ac ni ddaw'r doethion a cherdded dros heol
Bwhwman bom.
Diddig yw'r ddaear dan niwloedd ofergoel
A diddig yw dyn, yr anifail cnawd.
Rhowch iddo'i bibell, ei botel a'i butain.
Gadewch iddo chwarae ag offer ei glyfrwch,
Techneg ei angau; gorfoledd ei wae.
Rhowch gyfle i uffern.
Cleddwch yr ŵyl, eiddo Mamon yw mwyach,
Mamon a masnach, miri a medd.
Gwisgasoch yr Iesu yng nghlogyn Santa
A phlannu'n ddiwreiddiau y goeden â'r tinsel
Lle gynt y bu'r Groes.
Cleddwch yr ŵyl.

'Clyw gryglais yr Eglwys
A'r clychau'n troi geiriau'n gweddïau yn gân.
Tyrd allan.
Tyrd allan o'r gegin, o'r dafarn, o'r ddawns.
Dos, ira dy lygaid ag eli'r gwlith
Awr encil yr haul.
Diosg dy esgid a cherdded yn droednoeth
Nes cyrraedd y llecyn sy'n lân dan y sêr.
O dan y sêr y mae Duw'n siarad.
Yno cei gwmni'r gefell a gollaist
Ddiwrnod y cweryl, brynhawnddydd y pwd.'

Yn y caddug 'rwy'n cuddio,
Dan do adain y dydd
Heddiw.
I'r cnawd pleser yw cnoi.
Cynhaliaf wledd heddiw,
Yfory, ni ddaw i'm rhan, o fwriad.

'Clyw wahodd yr awel,
Tyrd allan o garchar tŷ unnos dy frys.
Gwybydd mor greulon y cuddia d'ystafell
Yr haul a'i orwelion, y lleuad a'i llewych,
A'r sêr ar eu sarn.
Dilyn dy heddiw i benrhyn y machlud,
Cei yno gyfrinach y golau anniffodd,
Llygedyn y ffydd,
Lliw'r harddwch a ddychwel yn danlli i'r wawrddydd
Bob bore, bob bore, heb golli yr un.
Penlinia yn unig ar benrhyn y machlud
A gwylio nes gweld yr haul yn ei wely
A'r lleuad yn codi a'r sêr yn dod ati
'Gydag awel y dydd'.
O dan y sêr y mae Duw'n siarad.
Disgyn Ei eiriau yn fynych i'r gweiriau,
Ond clyw
'Y GAIR a wnaethpwyd yn GNAWD.''

DYMUNIADAU'R ŴYL

T. Llew Jones

Boed Gŵyl ddi-fraw, boed gwledd fras — i bawb oll
    Heb wae byd i'ch lluddias;
    Llon a diddig fo'ch trigias
    Dan lawen gelynnen las.

WRTH Y DRWS

D. J. Davies

Daw'r Ŵyl â Duw i'r aelwyd; — i'w Rodd Rad
   Cil rhyw ddrws a agorwyd,
  A thrwy'r gwyll o'r llety llwyd,
  Ei olau Ef a welwyd.

Dan liw aur Gwyliau'r galon — aur a thus
   Myrr a theg gyfarchion,
  Ac yng ngolwg angylion
  Iesu hardd boed yr oes hon.

Daw'r Iesu at ein drysau; — ar Ei wedd
   Y mae gwrid yr oesau,
  Oludog ymweliadau
  Iesu cu â drysau cau!

Dwg ryddid; agor iddo — O! oes lom,
   Cais Ei law i'th swcro.
  O'i wendid Ef dan dy do
  Daw nerth Iôn, daw'n wyrth yno.

Dy nos oer dan Ei Seren — a'th wŷr doeth
   A rhyw dân i'w helfen,
  Boed obaith byw a diben
  Uchel Iôr i'r ymchwil hen.

I galon y Bugeiliaid — doed y gwres,
   Doed y gri fendigaid
  Eto i'n plith fod Duw o'n plaid,
  Rho obaith, Dduw'r ceriwbiaid.

NADOLIG

James Nicholas

Hwn yw dydd geni Duwddyn — yn isel
   Ym mhreseb yr asyn:
  Ysblander y sêr mor syn,
  A'r Mab yng nghlytiau'r mebyn.

NADOLIG

Dic Jones

Cenwch donc, cynheuwch dân,
Dygwch i blentyn degan,
Gelwch wlad i gylch y wledd
Yn llon 'r un fath â'r llynedd.
Y newydd hen eto a ddaeth
I ddyn yn ddiwahaniaeth.

Y plant sy' biau Santa,
Ganddo dwg y newydd da
Yn llywanen llawenydd
Dros y wlad cyn toriad dydd.
Clywch ei droed a'r clychau draw
Ar awelon yr alaw.

Rhowch sbrigyn o'r celyn coch
Ar y drws yn ir drosoch,
A'r goeden ffer a geidw'n ffydd
Drwy y gaea'n dragywydd,
I addoli'r geni gwyn
Ym mhreseb llwm yr asyn.

'R un yw geiriau'r hen garol
Ag oedd flynyddoedd yn ôl,
Ond cedwch ddôr agored
I'w siriol lais hi ar led,
O achos y mab bychan,
Cenwch donc, cynheuwch dân.

NADOLIG Y BARDD

Gwynne Williams

I fyny
        heibio i'r llety llawn
a'm croth yn curo
            prysurais yn swil
un nos o eira
dan y seren ddimai
      ar asyn chwim
             fy nychymyg
at groes hen
          y geni
yn hedd y stabl,
          ddi-stwr.

Ac yno,
      lle cryna'r gannwyll
pan ddaw'r wawr
         wedi hir oriau
o wewyr
    a chur
         cewch weld
heb ychen
         na chlychau lu
y gair,
     o fru ysig fy rheswm
         yn gorwedd
yn llon
     ym mhreseb fy mhapur llwm.

NADOLIG

J. M. Edwards

Gŵyl y saer, gŵyl y seren — a'r garol
  Gyda'r geiriau llawen;
 A gŵyl lon y gelynnen,
 Gŵyl cân a Baban yn ben.

Y NADOLIG

Ronald Griffith

Gŵyl cwmni, gŵyl twrci, gŵyl tân, — gŵyl yfed,
  Gŵyl afal ac oran,
  Gŵyl hirdaith Santa weithian
Â'i gan mil teganau mân.

Y NADOLIG

Alan Llwyd

A dyma ni eto ar drothwy'r hen ŵyl ledrithiol
   yn deulu bach y Nadolig, yn glòs ac yn glyd.
Fe enir y Mab drachefn o'r groth ragrithiol
   na bu iddi dderbyn hedyn wrth hedyn ynghyd
wedi'r anwes tynn, ac un hedyn yn ymrithio'n gnawd,
      ond yn hytrach, Duw â dyhead
      Tad, er cenhedlu'r cread,
wedi bwrw ei hedyn ysbrydol mewn morwyn dlawd.

Eisoes addurnasom y goeden a'i gadael liw hwyr
   yn dawnsio gan dinsel amryliw, a'i lliw'n llawenydd
i'r galon hygoelus, a'i brigau, rhwng canhwyllau cŵyr,
   yn glyd yn ei goleuadau, yn un sbloet ysblennydd:
y goeden dan ei thasgiadau â lliwiau ei llond
      fel rhaeadr wedi rhewi'n goferu
      yn llonydd, a'r sêr wedi eu fferru
yn ei disgyn diysgog, ei hymarllwys diorffwys, stond.

Ac mi welaf innau fy hen Nadoligau drwy luwch
   araf eira f'atgofion yn nofio'n ôl,
a chlywaf y clychau'n pendilio'u Nadolig yn uwch,
   a gwelaf y plentyn-gynnau â'r teganau'n ei gôl,
a'r hen barlwr a chwalwyd gan amser mor syber â'r Sul,
      a rhai, nad ŷnt mwyach, yn rhannu
      ei lawenydd cyn i'w dydd ddiflannu
i'r llan lle mae'r gloch ers tro yn ochneidio'i chnul.

Anwylwch, fy mhlant, dan y lindys o lantern, bob eiliad,
   a gwrandewch ar sŵn ceirw Siôn Corn ar yr awel lem.
Myfyriaf innau am Fair yn anwylo'i chynheiliad,
   wedi bwrw'i Chreawdwr o'i chroth ym Methlehem.
Pa fodd y digwyddodd gwyrth? A genhedlwyd y Gair
      yn fawl i blith anifeiliaid,
      ac a goeliai'r llu syn o fugeiliaid,
a blygai uwch yr amhosibl agos, mai Duw oedd mab Mair?

Ond eisoes y mae croes uwch y crud, uwch y rhastl, drawst,
   a chynffon yr eidion â'i churiadau fel fflangell, a phlwm
y caglau trwm ar ei blaen. Ar lawenydd a naws
   tridiau'r Nadolig ni thyr yr un croesbren crwm.
Anghofiwn yr un a ddifethwyd am yr un a ddaeth;
      clec y chwip yw crac y craceri,
      a'r celyn fel torch o fieri,
ond pa ots fod Bethlehem Jwdea i Olgotha'n gaeth?

Ai am iddo ymddiried i'w Unig-anedig nyni,
    a marw gydag esgor Mair yn y stabl, y troes
Duw oddi wrth ddynion, fel na chlywodd hyd yn oed y gri,
    'Eloi, Eloi, lama sabachthani', y gri ar y groes,
ac na chododd yr un llaw i ddial, ac i'w hatal hwy,
        y rhai a staeniai bastynau
        â'r genedl a gynullwyd i gynnau
yn goelcerth o gyrff noethlymun wedi'r newyn a'r nwy?

Wrth wynebu ansicrwydd y flwyddyn sy'n prysur nesáu,
    rhag cwympo i'r gwacter a'n herys, ac i nos ein difodiad,
cydiwn, uwch y dwnsiwn, yn ein rheffyn o dinsel brau,
    ond ansad yw ein rheffyn o dinsel, ac nid oes ond dyfodiad
y Crist yn creu ystyr mewn byd sydd heb ystyr yn bod.
        Ar ein delw o groth Mair un Nadolig
        y'i ganed wedi'r Ymgnawdoli,
Gan hynny, boed inni'n un teulu ddathlu ei ddod.

'A DAETH Y GAIR YN GNAWD'

O. M. Lloyd

Y Gair a roes y garol, — y Gair hwn
    Yw'r gwirionedd dwyfol;
    Y Gair Iesu — un grasol
    A'n try ni at Iôr yn ôl.

NADOLIG LLAWEN

O. M. Lloyd

Ar yr ŵyl annwyl 'leni — rho garol
    I'r Gŵr a'i dug iti;
    Llawn golau fydd d'oriau di,
    Difyrrach o'i glodfori.

NADOLIG

(Gan gofio 'A Child's Christmas', gan Dylan Thomas)

W. Leslie Richards

Rhys a Hywel:

O! hwylus fai cael helynt
Y dyddiau a'r gwyliau gynt,
Ac nid gwael fai cael mewn cân
Nadolig fel un Dylan.
Sôn am dinsel a chelyn,
Oriau gwych o eira gwyn,
Llwythi teg o anrhegion
Yn llanw'n bryd, llonni'n bron,
Encil y bwthyn uncorn
A sain cân clychau Siôn Corn.

Dadcu:

Nadolig fel un Dylan?
Un mor rhydd a fu i'm rhan!
Mewn hiraeth bûm yn aros
Seiniau teg clych Santa Clos.
Mewn melys nwyd breuddwydiwn
Am bwysau beichiau ei bwn —
Siocled a mân deganau,
A chnwd o rawnwin a chnau,
Ffrwythau, afalau filoedd
Yn ei sach yn gynnes oedd.
Cysgu'n ddi-ball ni allwn,
O dasg lem, yn disgwyl hwn.
Er imi weithiau sbïo
(Hen loes oedd) ni welais o.

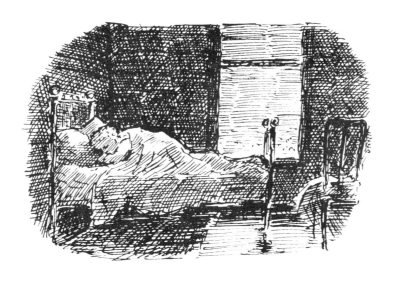

Rhys a Hywel:
>A synnech weld eich sanau
>Yn rhai mawr, wedi trymhau
>Pan ddôi gole bore bach
>A'i lewyrch yn oleuach?
>A beth am rin y cinio,
>Ai da oedd ei fwyta fo?

Dadcu:
>Syndod a rhyfeddod fu,
>Nefoedd, gweld sanau'n tyfu!
>Hyfryd y wledd a'r sbleddach,
>A'u helynt byth i blant bach —
>Y pwdin wedi'r cinio,
>A haenog lwyth o dân glo.
>Cracers yn gwafers i gyd,
>Teisen â hufen hefyd,
>Heb chwâl na dial na dig
>Yn deulu ddydd Nadolig.

Pawb gyda'i gilydd:
>Nadolig fel un Dylan
>I mi doed eto'n y man!

AR GERDYN NADOLIG

R. J. Rowlands

Wrth fwrdd y wledd eisteddwn, — o ganol
>Digonedd y codwn;
>Heddiw nac anwybyddwn
>Waedd y lleill am weddill hwn.

NADOLIG

J. H. Roberts

Rhoed urddas ar dŷ'r asyn — y dydd hwn,
>Duw a ddaeth yn blentyn;
>Yma caed cordiau emyn —
>Cerddoriaeth brawdoliaeth dyn.

DRAMA'R NADOLIG

Gwyn Thomas

Defod, ar y Nadolig, yw fod
Plant y festri, y bychain,
Yn cyflwyno yn ein capel ni
Ddrama y geni.

Bydd rhai oedolion wedi bod wrthi
Yn pwytho'r Nadolig i hen grysau,
Hen gynfasau, hen lenni
I ddilladu y lleng actorion.

Pethau cyffredin, hefyd, fydd yr 'anrhegion':
Bydd hen dun bisgedi,
O'i oreuro, yn flwch 'myrr';
Bocs te go grand fydd yn dal y 'thus';
A daw lwmp o rywbeth wedi'i lapio,
Wedi'i liwio, yn 'aur'.
Bydd yno, yn wastad, seren letrig.

Bydd oedolion eraill wedi bod yn hyfforddi angylion,
Yn ceisio rhoi'r doethion ar ben ffordd,
Yn ymdrechu i bwnio i rai afradlon
Ymarweddiad bugeiliaid,
Ac yn ymlafnio i gadw Herod a'i filwyr
Rhag mynd dros ben llestri —
Oblegid rhyw natur felly sy ym mhlant y festri.
Bydd Mair a bydd Joseff rywfaint yn hŷn
Na'r lleill, ac o'r herwydd yn haws i'w hyweddu.
Doli, yn ddi-ffael, fydd y Baban Iesu.

O bryd i'w gilydd, yn yr ymarferion,
Bydd cega go hyll rhwng bugeiliaid a doethion,
A dadlau croch, weithiau, ymysg angylion,
A bydd waldio pennau'n demtasiwn wrthnysig
I Herod a'i griw efo'u cleddyfau plastig.
A phan dorrir dwyster rhoddi'r anrhegion
Wrth i un o'r doethion ollwng, yn glatj, y tun bisgedi
Bydd eisiau gras i gadw'r gweinidog rhag rhegi.

Ond yn y cariad fydd rhwng y muriau hynny
Ar noson y ddrama, bydd pawb yn deulu;
Bydd diniweidrwydd gwyn yr actorion
Yn troi'r pethau cyffredin, yn wyrthiol, yn eni,
A bydd yn ein nos, yn ein tywyllwch, y seren letrig
Yn cyfeirio'n ôl at y gwir Nadolig,
At y goleuni hwnnw na ellir mo'i gladdu.
Ac yng nghanol dirni ac enbydrwydd byd sy'n gaeth
  dan rym Herod
Fe ddywedir eto nad yw Duw ddim yn darfod.

'YMWELODD Â NI GODIAD HAUL O'R UCHELDER'

O. M. Lloyd

Ganol gaeaf haf yw hi — ar saint Duw,
  Rhoes ein Tad oleuni;
    Wele yn awr ein haul ni,
    Golau gwyn Gŵyl y Geni.

Y NADOLIG

Hedd Wyn

Deg ŵyl, dan las dy gelyn — una gwlad
  Yn swyn gwledd a thelyn;
    A hyd Fethlehem dyry dremyn
    Ar y Duw Sanct yn ei grud syn.

DEULAIS Y NADOLIG

William Morris

Gwrandewais lais o lysoedd
Dyrys dyn. O mor drist oedd!
  Dyna garol Nadolig,
  Nodau hedd uwch tonnau dig.

Erys rhyfel, a helynt
Ei oediog wae'n llond y gwynt.
  Wele wŷr yn siriol wau
  O'r alaeth eu carolau.

Beth a dâl gobaith dilesg
I dewi llid henfyd llesg?
  Dihidla, gawod nodau,
  Fel o Nef i'w lawenhau.

O gwerylgar wladgarwch,
A ddaw trai i'th gamwedd trwch?
  Lleddfa'r Crist donnau tristyd;
  A gano'i fawl, gwyn ei fyd.

Holaf, yn sŵn dialedd
Oriau siom, am euroes hedd.
  Agorwyd, â'i waed gwirion,
  Adwyau drud i dir hon.

Heddiw, mae yr hedd, mwyach,
A dry'n wynfyd i'n byd bach?
  Daear wen dan dw'i rinwedd,
  Dyna fyd dan fwa hedd.

AR GERDYN NADOLIG

O. M. Lloyd

Nadolig Llawen, deulu, — a heddwch
  A rhoddion o boptu;
Mynnwn yn hwyl ein gŵyl gu
A'i saig fras gofio'r Iesu.

NADOLIG ERS TALWM

Tîm Ymryson Penrhosgarnedd

Yr un dydd a fu'n hir yn dod, — y llofft
　　Yn llwyth o ddarganfod,
　　Unnos undydd o syndod,
　　Y tŷ'n bert, a Santa'n bod.

Y NADOLIG

David Griffiths (Dewi Aeron)

Clychau'n canu'n bêr ben bore draw,
A mintai fechan, drwy yr awel lem,
Yn tynnu tua'r festri lwyd gerllaw
I gofio'r geni gynt ym Methlehem.
Rhywrai'n ymlusgo adref o'u dawnsfeydd
A ffeuau afiach y bradwrus win,
Gwehilion anllad gwyrgam eu rhodfeydd,
A llwon a charolau ar eu min.
Ffwdanus ddarpar yn y bwth a'r plas
Am loddest ganol-dydd i ddathlu'r ŵyl,
A'r radio sgrechlyd a'i ganeuon bas
Ar lawer aelwyd yn cynhyrchu hwyl.
Y bwystfil glwth yn hawlio gwesty gwych,
A'r mab yn ymdristáu yn llety'r ych.

94

YSBRYD Y NADOLIG

Gwyn Thomas

Beth yw'r gwelwder trwy'r llawenydd,
Y ddrychiolaeth yn niwl golau ein gorfoledd?
Wrth y bwrdd rhwng yr ŵydd a'r pwdin
Mae rhith nad ydym yn ei adnabod.

Mae arwyddion geni'n hongian ar y waliau
Yn gadwynau amliw a chardiau,
Mae dymuniadau da'n dew, yn fwg sigâr amdanom.
Pwy yw'r dieithr oer sy'n tarfu ar hwyl y cracyrs?

Mae cariad ac ewyllys da wedi ei barselu,
Ei glymu a'i stampio a'i yrru ers dyddiau,
Ac anwyliaid a ffrindiau wedi anfon yn ôl inni
Werth hyn-a-hyn o deimlad brawdol mewn papur llwyd a llinyn.
Beth yw'r dwylo gwag yn nisgleirdeb y goeden?

Oni anfonasom hefyd i Fodryb Siân, yr hen dlawd, hanner potel o sierri
Heb ddisgwyl cael dim byd yn ôl?
Oni yrasom ni hen ddillad i helpu pobol dduon?
Oni phrynasom ni gardiau Nadolig, rhai drutach na'r arferol,
Er mwyn i'r elw fynd at helpu hen bobol?
Oni thalasom ni fwy nag unwaith am docynnau raffl
A'r rheini i gyd at achosion da, heb obeithio ennill?
Beth yw'r noethni sydd yn nhincial y gwydrau,
A hwn sy'n lasarus wrth ein bwrdd?

O Dduw gwared ni rhag ffurfio o breseb yn ein calon
Ac i'n heneidiau gwâr ystablu dieithrwch i darfu ar yr hyn ydym.

COLOMEN HEDDWCH Y NADOLIG

T. Arfon Williams

Deil yr aderyn unig i 'hedeg
uwch ein byd crynedig
â deilen Gŵyl Nadolig
y Duw Byw yn llond ei big.

95

YR UN NADOLIG HWNNW

Gwyn Thomas

Y mae'r deffro hwnnw, yn dair,
Yn dal i oleuo fy nghof; Nadolig
Y ceffyl pren.

Am hwnnw y bu ymofyn.
Nodasid ei enw.
Anfonasid i ddirgelwch du y simnai
Ar lythyr gwyn gyfrin arwyddion
Yr enw hwnnw.

O gyffro'r hir ddisgwyl
I fore bach yr ŵyl daethai
Y geiriau a fu'n gweryru
Ac yn carlamu trwy'r dychymyg
Yn bren gweladwy, sigladwy, solat.
Diolch Santa.

Y mae'r siglo hen hwnnw
O hyd yn fy mhen.
Y mae o yno'n duthio, neu'n rhyferthwy o fynd;
Y mae o'n glopian gwastad, neu'n bystylad gwyllt
Ar draws fy mlynyddoedd.

Fel y Nadolig ei hun y mae o —
Fy hen geffyl pren — yn ei dro
Yn fy nghario i'n ôl i hen, hen Eden.

ANRHEGION NADOLIG

Gwynn ap Gwilym

Crogant ymysg canhwyllau
    Ar frigau'r goeden frau
I'w hagor pan ddêl bore
    Hen ŵyl y llawenhau.
O'u cylch mae tinsel gwyn fel cen
Is arian wawl rhyw seren wen.

Anrhegion bach i gofio
    Am roi digwyno Duw:
Y cawr mewn preseb cerrig
    A'i ras i ddynol-ryw
A chariad rhad yr Un a'i rhoes
Er maddau i ni i grogi ar groes.

Y NADOLIG

Donald Evans

Uwch y ginio wych, geinwedd, — y pwdin,
    Y gwin a'r digonedd,
    Uwchlaw ysbleddach y wledd:
Gair o foliant: Gorfoledd!

NEITHIWR

Crwys

Wyddech chi fod rhywun neithiwr
Wedi torri i'n tŷ ni
Pan oedd pawb yn cysgu'n dawel,
Yr hen wraig a'r plant a mi?
Nid drwy'r ffenestr fach, 'does bosib,
Nid drwy'r drws, 'roedd hwnnw 'nghlo,
Wn i a ddaeth e lawr drwy'r simne?
Ond boed hynny fel y bo.

Wyddech chi fod rhywun hefyd
Wedi torri i'n tŷ ni
Ddeuddeng mis yn ôl i neithiwr?
Felly y dwed y plant i mi;
Ac fe fyn y groten ienga
Iddi'i weld e'n ddigon siŵr
Yn ffwdanu wrth droed y gwely
A'i fod bellach yn hen ŵr.

Iddo ddod yn nhraed ei sanau
A bod cwdyn ar ei gefn,
Ei wallt yn wyn fel cawod eira,
Gyda chudyn hir, di-drefn;
Yna clymu wrth harn y gwely
Hosan lawn o anrheg dlos,
A bod, felly, groeso i Santa
Dorri mewn i'r tŷ bob nos.

Y NADOLIG

Robert Owen

Celyn a thelyn a thân — ar aelwyd,
 A charoli diddan,
 A'r hen fyd i gyd yn gân
 O achos y Mab bychan.

ADEG NADOLIG YDYW

Gwilym R. Jones

Adeg Nadolig ydyw,
A'r Ŵyl iawn i garol yw,
Gŵyl i roi i'r gwael a'r hen
Galennig dan gelynnen.

Daeth un bach i deithio'n byd
I anferth nos yr henfyd;
Noethlanc yn ninas Bethlem,
Uchel Iôr dan y chwa lem!

Daeth golau doeth i galon
Hen deulu'r llawr yr awr hon, —
Ei ddawn Ef chwalodd y nos,
A'i nawdd roes i'r anniddos.

O! na ddôi'r seren heno
I'n dwyn at yr isel do,
Ei dywyn Ef i'n dwyn ni
At ogoniant y Geni!

Diddiwedd yw rhyfeddod
Duw yn glai dan y gwawl ôd;
Adeg Nadolig ydyw,
A'r Ŵyl iawn i garol yw.

CYFARCHIAD NADOLIG

Eifion Wyn

Gwên Duw a digon o dân, — a gaffoch
Ŵyl goffa'r mab Bychan;
Hud Rhagfyr lanwo'ch trigfan;
Gŵyl dda i chwi oll — gwledd a chân.

AR GERDYN NADOLIG

O. M. Lloyd

Am galon lân i ganu, — am heddwch
A moddion gwaredu
Yn ddoeth dos, cei Dduw o'th du:
Brysia i breseb yr Iesu.

DYDDIADAU

NADOLIG 1916

Eifion Wyn

Gwn am fro lle nid oes hedd,
Na cherdd o'r tannau tynion;
Ond lle torrir ar y wledd
Gan ru taranau dynion:
Cofia dithau'r llanciau trist
Sydd am eu tir yn wylo,
Ac yn cadw Gŵyl y Crist
Â'r gynnau yn eu dwylo.

NADOLIG 1941

R. Meirion Roberts

Daethost eto ar hynt
    Ŵyl y Geni,
Ond ni chlywaf megis cynt
    Sŵn dy glychau glân eleni;
Mudan ym mhob man
Glochdy llwyd y llan.

Yn ffenestri'r fro
    Lle bu'r lampau ynghyn
Fe ddiflannodd dro
    Li'r goleuni gwyn;
Mae canhwyllau'r Crist
O dan huddlen drist.

Draw ym Methlehem dref
    Gynt bu Mair
Yn clustfeinio ar lef
    Egwan yn y gwair;
Weithian pwy a'th glyw
Bersain barabl Duw?

Nid oes neb a wêl
    Seren lân y Geni,
Nid oes neb a glyw pan ddêl
    Unsain tlws y gân eleni;
Pwy a wrendy'r rhin
Drwy daranau'r drin?

Y NADOLIG (1941)

T. Eurig Davies

Nid un o'r sêr ar ryfedd daith
   A lonna'r nef eleni,
A'i thywyn claer yn arwain byd
   Drwy anial ei drueni;
Bydd goleuadau brad uwchben
   Nid seren wen eleni.

Ni ddaw y doethion at y crud
   O sŵn yr hen gasineb,
A gweld yn wyneb plentyn bach
   Wawr annwyl dydd gwarineb;
Bydd gwaedd ymffrostwyr yn ein mysg,
   Nid dysg y doeth eleni.

Ni saif yr angel uwch y maes
   I eilio'r pêr garolau,
A dyfnder nos ar drai o gylch
   Dan wawl ei adain olau;
Bydd nadau llid uwch byd achlân,
   Nid mwynder cân eleni.

Ni ddychwel bugail at ei braidd
   I wylio'n ddiofalon,
A thaith y nos a'r neges fawr
   Yn olud yn ei galon;
Na, ni bydd bugail gyda'r praidd,
   A'r blaidd a'u caiff eleni.

O Grist! mae'r llety eto'n llawn
   O wŷr yr oes ddisberod,
A Chesar fawr sy'n trethu'r byd,
   A thyr gelyniaeth Herod;
Ac ni chei dithau hyd yn oed
   Y preseb coed eleni.

NADOLIG EWROP: 1945

J. M. Edwards

Tywyllach yw'r nos na nos y bugeiliaid hen
Ac oerach, os rhywbeth, yw'r gwynt;
Ond diau, fy mwyn gyfeillion, y cerddwch eleni
Tua Bethlehem eto fel cynt.
Eithr nid mor gysurus y daith, canys rhyngoch a'r preseb
Ymestyn briw llawer bro,
A thrueiniaid bach unig Nadolig diaelwyd
Heb hosan a thegan a tho.

Distawach yw'r gerdd na cherdd yr angylion hen
Ar serth orielau'r sêr;
Nid hawdd yw ailennyn y cywair a fu gynt
Yn parablu'r tangnefedd pêr.
Diglychau eleni fydd llawer twr
Er pan fu'r gwaed ar ymylon Ffrainc;
Hyd fil o adfeilion carneddog, di-ddrws
Ni ddaw'n ôl na charol na chainc.

Pellach yw'r ffordd na thrymffordd y doethion hen
At le'r geni dros gyfandir o fedd;
A chofio'n flin lawer gwerin sy'n gorwedd
Lle mae'r meinwynt glas yn gledd.
Tywyllwyd y seren oesol gan fwg cyflafan,
Mae'r dwyrain draw yn drist;
Ni fydd trysor ar henllawr y preseb gwael
Os yw'r doethion heb weld y Crist.

Llymach yw'r newydd deyrn na Herod hen,
Byr yw ei barch i'r byw:
Myn iddo'n deyrnas randir yr ewyllys da, —
Y Brenin Newyn yw.
Trwy Lydaw, trwy Roeg, a thros lannau Rhein,
Hon yw'r ffordd at y Mab sydd i'ch dwyn;
Nid yw mor gyfarwydd na chysurus ychwaith;
O! na . . . fy nghyfeillion mwyn.

NADOLIG 1958

W. J. Bowyer

Yn nydd ein llid bydd yn llyw — yn nryswch
  Arhosol dynolryw;
  Yn ein hoferedd heddiw
Rho wybod Dy fod yn fyw.

NADOLIG 1963

Rhydwen Williams

Gwyn fyd yr hwn a wêl
  Yn nhawel oriau'r nos,
Y weledigaeth wych —
  Lewych Ei seren dlos!
Honno a losgodd gynt fel gem
I fynd â'r doeth i Fethlehem.

Gwyn fyd yr hwn a glyw
  Yn hyglyw ar ei hynt,
Gân yr angylaidd gôr —
  Hen atgo'r bugail gynt!
Y garol honno a roes ynghlwm
Yr Orsedd Wen a'r llety llwm.

Gwyn fyd yr hwn a fedd
  Dangnefedd Baban Mair,
A chyda'r oen a'r march —
  Ei gyfarch uwch y gwair!
Pan anrhydedda'r Duw di-nam
Dynerwch tad a mynwes mam.

NADOLIG 1964

G. J. Roberts

Aeron y celyn yn goch fel gwin
A'r canhwyllau ynghyn ar y goeden bîn.

Tinsel llawenydd y Forwyn Fair
Fel cynffon lleuad ar lwyth o wair.

Hwyl a phrysurdeb dros fryn a phant —
Teganau a chnau yn hosanau'r plant.

Yr ych a'r asyn a'r Baban gwiw
Yn mudan bensynnu o'r cardiau lliw.

A chôr digyfeiliant ar record rad
Yn lleisio 'Tangnefedd' dros y wlad.

Mae'n siŵr fod gan Dduw gryn feddwl o'i fyd
I adael i'r trimins fod yma cyhyd.

NADOLIG 1966

T. Llew Jones

Pe genid heno'r Baban
Yng ngwlad y Dwyrain draw,
Ni phlygai mwyn fugeiliaid
Uwchben ei bram ail-law.

Ac ni ddôi tri o ddoethion
Tros erwau'r tywod poeth,
Rhy fydol yw'n bugeiliaid
A'n doethion sy'n rhy ddoeth.

Pe gelwid mab i forwyn
I'r un anhygoel dasg,
Sgandal y Geni Gwyrfol
A hawliai sylw'r Wasg.

NADOLIG
(1969)

Mathonwy Hughes

Gyfaill, uwchben dy gyfoeth,
Rho dy fwrdd i'r rhai di-foeth,
Rhanna wledd yr henwyl hon,
Rho i'r gwael, rho o'r galon.

Gwêl wae y newynog lu,
Eu cur ofer a'u crefu,
Dyro'n hael, dyro'n helaeth
Orau dy fwrdd i'r di-faeth,
Dyro hoen i druenus,
I'r du ei groen rho dy grys.

Dwg wefr i'r rhai digyfran,
Gwefr a gei o gofio'r gwan.
Onid cariad yw coron
A rheol aur yr Ŵyl hon?

NADOLIG 1976

Moses Glyn Jones

Fel hyn y bu hi,
yn hwyr pnawn Gwener
â thraffig gên-ar-grwper
yn llithro i'w feudy,
'roedd y clychau'n canu yn y gwynt
a'r papurau'n troelli ar y gornel
pan gefais gip arnynt —
y dynion rheini
â rhywbeth yn eu dwylo.

Wedi croesi cerrig slip yr heol
daethom wyneb yn wyneb
ac yna y gwelais eu baich.
Mor bur â'r eira,
mor lân â swllt,
'roedd y baban mewn cadachau.

Cefais gynnig arno
ond 'roedd llond fy mreichiau'n barod
ac ni allwn ei ddal.

Pan ddeuthum adref
'roedd y cymylau
yn cuddied y sêr.

NADOLIG 1985

Gwilym Rhys

Clyw ochain uwch y clychau — Nadolig.
   Cri'r diaelwyd lwythau,
A'r saint a'r Iesu yntau
Trosot ti a mi'n tristáu.

NOS NADOLIG 1985

Gwilym Roberts

Bugail, tri brenin a ninnau'n aros
   Yn hir ar ein gliniau
I'r nos hon a'r wawr nesáu
I roi Iesu i'r oesau.

CAERDYDD: NADOLIG 1986

Iwan Llwyd

Fel hyn 'roedd hi 'Methlehem:

Swn cân a chyfeddach
a chleber y pedleriaid
yn tynnu dŵr o'r dannedd,

yn nofio uwch y dyrfa
sy'n rhuthro a chythru gyda'r lli
o siop i siop,

o dafarn i dafarn
a chwyno a chrio'r plant
yn atsain ym mhen mamau:

ffrae rhwng ffrindiau a chusan hir,
a than lygaid y plismyn
hogia'r wlad yn dyrnu gwario:

i ganol hyn daeth baban,
i dagfa'r ystadegau
a chyfraith a chyfrifiad

a llog a chyflog
a chyfle'n llithro
fel y dyddiau drwy'r dwylo:

i ganol y bwrlwm daeth baban
yn sgrech unig yn sgubor
tosturi rhyw westeiwr,

darn o'r sêr yn y gwellt gwlyb
a gwrid y gwin a'r groes
eisoes yn ei fochau bach:

i fyd yr archfarchnadoedd
daeth i ninnau yn nhyrfau'r nos
siawns i gyffwrdd â'r sêr.

NADOLIG 1986

Derwyn Jones

I fyd o'i hwyl Gŵyl y Gân. — Ei Seren
  Am oes aur sy'n datgan;
  Uchel wyl, drwy'r byd achlân,
  I bawb addoli'r Baban.

NADOLIG 1986

Gwilym Roberts

Dewch yn union, ffyddloniaid, — i Fethlem,
  Arfaethle'r Bendigaid:
  Mwyach y Mab bach heb baid
  A addolwn, Ei ddeiliaid.

NADOLIG 1986

Roy Stephens

Rhown i'r plant eu presantau — a mynnwn
  Ymuno'n eu campau:
  Gwefr awr yw pob anrheg frau,
  Ennyd yw'n hanrheg ninnau.

NADOLIG 1987

Gwilym Roberts

Daw y Bychan dibechod — i breseb
  Yr Asyn yn ddinod;
  Herfeiddiol yw'r rhyfeddod
  I Dduw Ei hun yn ddyn ddod.

YMYRIADAU

YN NYDDIAU HEROD

Eirian Davies

Diolch i Ti, O! Dad,
Fod yr Iesu wedi ei eni
Yn nyddiau Herod Frenin.

Beth petai wedi disgyn wrth ein drws
Adeg teyrnasiad Elisabeth yr Ail?

Byddai'n wahanol iawn arno mewn oes
Sy'n galw pob Joseff yn Joe.
A byddai Joe ar y dôl,
Ei forthwyl yn segur
A'i hoelion yn rhwd.

Gwadu a wnâi Joe
Pan ddeuai ei wraig ato i dorri'r newydd am y baban,
Gwadu, a'i chyhuddo o gysgu gyda rhywun arall;
Ac fe'i cynghorai i fynd yn dawel i un o'r strydoedd cefn
Am erthyliad.

Petai'r Iesu wedi ei eni
Yn ein hoes ni,
Byddai Mair wedi esgor
Ymhlith gwehilion dinasoedd mawr ein daear,
Ac yn lle nythu'n gynnes mewn preseb a gwair
Fe gâi'r Baban orwedd
Mewn bocs carbord.
Yn lle'r asyn a'r fuwch a'r ych
Fe benliniai'r anifeiliaid cyfoes
— Y tramp, y gwryw-gydiwr, y godinebwr, yr alcoholic
A drwg-gymerwr y drygiau.

Diolch i Ti, O Dduw,
Fod yr Iesu wedi ei eni
Pan oedd y galon yn lân
A gwerinwyr y Dwyrain
Yn barod i gredu, mewn ffydd,
Mai trwy ddirgel ffyrdd
Y daw gwaith Dy Deyrnas i ben.

Yn y dyddiau syml hynny
Pan oedd y bugeiliaid, liw nos,
Yn ffyddlon i alwad y meysydd,
Pan oedd Mair yn eirwir
A phan fedrai saer o'r wlad synhwyro symudiadau'r Ysbryd,
Bryd hynny y canodd yr angylion
Ac y siriolodd y seren
Drymder y nos.

A pha waeth fod y llety bonheddig yn llawn
A Bethlem heb gornel gwag
Yn unlle ond y stabal
Ynghanol y dom a'r biswail;
Pa ots fod Herod yn rhywle
Tu allan, yn y tywyllwch,
Yn hogi'r llafnau
I agor gyddfau babanod gwan.

Pa wahaniaeth!

'Roedd un gŵr o gariad at wraig,
Yn credu,
Credu fod Ysbryd Duw ar waith
Yn herio galluoedd y tywyllwch
I ddod â Goleuni i'n daear.

Am hynny, diolchwn, O! Dad,
Mai yn nyddiau Herod Frenin
Ac nid o dan deyrnasiad Elisabeth yr Ail
Pan nad oes neb yn credu
Y daethost yn egwan
Fel Baban i'n byd.

Y TRYDYDD NADOLIG

Alan Llwyd

Gwyn dy fyd, fy mab, cyn i oedran dy ddadrith ddod:
nid oes yn dy Eden ddwyflwydd yr un sarff ddieflig.
Hwn yw dy drydydd Nadolig: wrth i'r hud gyfannu dy fod
y mae rhin Nadoligau fy mebyd yn dy lygaid pan defli

gip at y goeden serennog. Gwyddost am y Mab yn y stabl,
ond ni wyddost hyd yma un dim am ddolefain wylofus
y fam a fu'n ubain yn Rama i gyfeiliant y nabl,
nac am ddifa'r rhai dwyflwydd, dy gyfoed, gan frenin digofus.

Pa hyd y pery dy wynfyd cyn i waed y wawr
foddi rhyfeddod dy fyd Nadoligaidd-liwgar
ar fedydd y Fall? Efallai mai hon ydyw'r awr
y cyrchir gan ddoethion ein dydd, â'u hanrhegion distrywgar,

feudy yr Ail Ddyfodiad, llety ymgnawdoliad y Diawl,
lle gwatwerir carolau'r Crist gan emynau'r demoniaid a'u mawl.

MAE'R NOS YN DDU

Eirian Davies

Hyd y wlad, Herod a'i lu — yn eu dull
Sy'n dal i ormesu;
Ninnau, Dduw, a'r nos yn ddu,
Arhoswn gyda'r Iesu.

Y WYRTH

Alan Llwyd

Er dodi Gair y Duwdod — ym mru Mair,
  A miragl Ei ddyfod
Dyn nid yw at Grist yn dod:
Mae ei hiraeth am Herod.

Y NADOLIG

Gerallt Lloyd Owen

Wyf heddiw yn rhyfeddu, — wyf ar daith
  Hefo'r Doeth i'r beudy,
Wyf y sant tyneraf sy,
Ond wyf Herod yfory.

HEROD

Einion Evans

Rhyfyg a chryfder afiach — a fynnodd
  Ar faner ei linach.
Hen deyrn, — ond grym cadarnach
Oedd cusan y Baban Bach.

NADOLIG 1985

Alan Llwyd

Ni chlywn y gloch eleni'n — ein gwysio
  At gysegr dilychwin
Y wyrth, na'n plant yn chwerthin,
A phlant yn sgrechian trwy'r sgrin.

Y DDAU NADOLIG

Alan Llwyd

Yn dlawd a distadl odiaeth, – ei eni'n
Frenin heb sofraniaeth;
Brenin uwch pob brenhiniaeth
Yn blentyn o ddyn a ddaeth.

Yng nghysegr y taflegrau — ganed Grym,
Y Grym na wisg rwymau:
Plentyn cyfoeth a moethau
Yw'r Grym sydd yn trugarhau.

Y baban bychan heb air – na pharabl
Yn corffori'r Ungair;
Ein Duw yn blentyn diwair:
Daeth gras drwy gymwynas Mair.

Ein duw yw ofnadwyaeth, — ein morwyn
Yw miragl gwyddoniaeth;
Ein crist yw ein sadistiaeth,
Herod yn dduwdod a ddaeth.

Rhannodd tri gŵr coronog – i'r Unrhodd
Dair anrheg ddihalog;
Tri gŵr ger Crist trugarog
Yn grwm dan y Seren grog.

Y doethion yw'r gwyddonwyr; — i dduw'r hedd
Y rhoddant yn Rhagfyr
Fôr o waed eu cydfrodyr
A'r staen ar feddfaen yn fyrr.

Dodent gerbron y Duwdod – anrhegion
Eu gwrogaeth barod;
I ŵydd ei sancteiddrwyd, dod
Fin hwyr heb ofni Herod.

Mygydau'r Armagedon — a wisgant,
Nid rhwysg y tair coron,
A'u thus yw ofn caethweision
Y Grym biau'r ddaear gron.

I'n hanrhegu ni rhwygwyd – o gragen
Wystrysen nas treisiwyd
Berl hardd mewn ysgubor lwyd,
Ond y rhodd, fe'i diraddiwyd.

Un rhodd ym marbareiddiwch — yr oes waed
Arswydus ei heddwch
Yw aur ein rhyfelgarwch:
Angau biliynau mewn blwch.

Yn ei thor y Gwneuthurwr; – hi a'i gwnaeth
Yn gnawd, yn waredwr;
Yr hedyn yn Greawdwr,
Yr hollfyd i gyd mewn gûr.

Bendithir rhaib ein dwthwn, — a threiswaith
O ras a dderbyniwn;
Dioddef a sancteiddiwn,
Eneinio â gwaed lafn a gwn.

Y nef yn y llysnafedd; – ym miswail
Anifail, tangnefedd:
Eneiniog yn gwisgo gwedd
Feidrol mewn byd o fudredd.

Hunllef yw ein tangnefedd, — ac elor
Yw allor gorffwylledd
Y Grym, a chysegr ei hedd
Yn gysegr ein hatgasedd.

NADOLIG CRIST

Donald Evans

Nid sen yr enaid sinig, — nid anian
Y dyn angharedig,
Nid blys bradwrus na dig,
Ond Ei Olau Nadolig.

HEROD

T. Arfon Williams

Heddiw mae cyflwr gwrareiddiad — rhywfodd
Yn profi goroesiad
Yr Hen Deyrn o hyd a wad
I Iesu Ei deyrnasiad.

Y NADOLIG CYNTAF

Gwilym R. Jones

Rhaid canu'n iach
i Nadolig Siôn Corn,
ffon bara ein materoliaeth chwil.
'Doedd ynddo ddim i'n cysylltu â'r stabal flêr
ym Methlehem —
dim ond gwanc y pyrsau trwm
am fwy a mwy o elw.
Awn yn ôl i'r ogof-wâl
lle bwriodd Maria
febyn di-nam ar y gwellt
a'i dad yn dyst wrth y preseb-grud.

Ofergoel hen fyd
a wnaeth Joseff lwm
yn gyfysgwydd â'r Ysbryd Glân.

A ninnau'n llyncu y chwedlau pert
am angylion, bugeiliaid, gwŷr doeth,
a'r canu o'r nef a'r rhoddion i'r mab . . .

Dim ond geni fel pob geni a gaed —
bwrw'r bwndel o gnawd ar y sofl
a neb yn seinio eu mawl,
a'r byd heb wybod bod gobaith y byw
yn y bychan ebychaidd.

Tyfodd eiddilyn
yn goncwerwr ofn,
yn batrwm
i eneidiau dyheus
am 'y bywyd sy'n fywyd yn wir'.

Tyfodd, a deil i dyfu
yn oleuad i fyd yn ei nos,
heb gymorth y stori Siôn Corn
am Fethlehem yr angylion
na soniodd amdani erioed.

Y DRINDOD

Gwilym R. Jones

Ysbeiliwyd Gŵyl y gwyliau
o'i haddurniadau hen —
y seren hud
a lygad-dynnodd y doethion
o'r dwyrain dir
a'r gwŷr doeth a'u hanrhegion,
y côr adeiniog
a ganodd yn yr awyr
a'r dynion ag aroglau
y diadelloedd ar eu dillad.

A phle mae'r stabal
a'i asyn swrth,
y ddynes ddinod a'r wyry ar ei gwely gwellt
â'i charmon yn fydwraig iddi?

Heddiw nid erys
o'r drindod dlawd
ond y bychan heb ei achau,
mab y Tad Nadolig
a roes inni'n deganau
holl funudau'n hoes
a'r modd i'w trafod.

PE DEUAI ELENI ETO

Eirian Davies

Ni flinem ar Ei foliannu — o'i gael
   Yn fab gwyn o deulu;
Petrusem, petai'r Iesu
Yntau'n dod yn blentyn du.

YR UN NADOLIG HWNNW

Eirian Davies

Ni wyddwn fod y glo ar ben
Ac ni chlywais, tan wedyn, iddo ddiarchebu'r papurau.

Cododd ei bensiwn a mynd,
Gan adael ei gwpwrdd yn wag a'i aelwyd yn oer.

Sut y gwyddai
Fod cylch ei fywyd crwn yn gyfan?

Beth bynnag,
'Roedd yr hen saer-gwlad
Wedi trefnu ei fasged,
Ei thaflu ar ei ysgwydd
A dilyn diddychwel daith.

Dai bach Maespant
I blant Sbyty gynt;
Dafi'r Saer, trwy flynyddoedd plaen ei lafur;
Ac fel blaenor anfoddog wedyn
Yng nghaethiwed Sêt Fawr y capel,
Defis y Llain.

I mi, Dyta ydoedd.

Gadawsai, dridiau ynghynt,
Am Fathri
I fwrw Nadolig
Yn naws eglwysig
Bro Ddewi.

Wedi noswyl gynnar,
O flinder darllen
Cysgodd â'i lyfr agored ar ei fron
— Cyfrol a gyraeddasai
Yn barsel-anrheg awr bost y bore.

Cysgodd, a'i gael y bore wedyn
Yn farw.

Fy nhad llengar,
A'r tinc telynegol yn anadl bywyd ei gerdd.

Un o hil yr Ysgol Farddol.

Gallech roi plwmen
Ar dalcen ei englyn unodl
A'i gael yn union.

Gŵr y geiriau — a'r Gair.

Gadawodd ar ei ôl
Ddeubeth
A fu mor efeillgar
Ymysg ei drysorau.

Barddoniaeth
Yma ac acw
Ar dameidiau o gydau symént,
A Beibl.

Y Llyfr llwyd
Â'i gas fel crofen hen gosyn
Dan draul trafod trwm y blynyddoedd.
Bu'n hylaw, wrth ei benelin,
Pan loywai'n haul
A phan wylai'n law
Wrth ffenest fach ei fywyd.

Rhyfedd oedd colli tad
Ar y Nadolig.
Fel petai'r Angau wedi gwasgu arnaf ei gysgod
Ar noson oleua plant y llawr.

Nid ymwelydd rhadlon o Siôn Corn mewn gwisg goch
A wnaeth i loriau oriau'r hwyr riddfan
Ond tresmaswr haerllug.
Gelyn mewn lifrai galarus
A fu ar gerdded y noson honno.

Dod
A dwyn fy nhad
O hosan gysurus fy mywyd.

Gwerinwr cywir ei fesur mewn coed ac mewn cân;
Pen-areithiwr y pryd ar lwyfannau bro,
A'r esboniwr i arwain o ddryswch yr Ysgol Sul.

Un doniol.
Un duwiol.

Y Dafydd a roed imi'n dad.

Bellach aeth chwarter canrif heibio.

Daliaf o hyd i wylo
Gan gredu mai ef oedd yr anrheg ddruta
A gafodd Iesu Grist yn Ei hosan
Yr un Nadolig hwnnw.

Y NADOLIG

W. J. Bowyer

I gyntedd ein cyfeddach — a'n miri
  Uwch môr o betheuach,
  A ddaw rhyw ddrud funud fach
  O gyrion gwlad ragorach?

DYRYSBWNC NADOLIG 1983

Derwyn Jones

A oes synnwyr i seiniau — hen garol
   Brawdgarwch diffiniau,
  A'r byd o hyd yn amlhau
  Ei lygredd a'i daflegrau?

Y NADOLIG MODERN

Donald Evans

Nadolig ein heiddigedd, — Nadolig
   Ein delio a'n rhysedd;
  Nadolig gloes yn dal cledd,
  Nadolig ein dialedd.

BORE NADOLIG

Waldo Williams

Beth sydd yng ngwaelod yr hosan?
  Beth sydd i lawr yn y droed?
Mae e'n galed, mae'n gorneli i gyd —
  Y peth rhyfeddaf erioed.

Dyma afal, a dyma orens,
  A dyma ddyrnaid o gnau;
A dyma bacyn o siocoled —
  'Rwy'n eu tynnu i maes yn glau.

Dyma rywbeth — beth yw e? Mowthorgan!
  A dyma whisl bren,
Wel, dyma gwpwl o farbls.
  Beth sy gennyt ti, Gwen.

Ond beth sydd yng ngwaelod yr hosan?
  Y peth rhyfeddaf erioed —
Dau ddyn bach bitw â llif draws
  Yn barod i lifio coed.

NADOLIG LLAWEN!

T. Gwynn Jones

Nia Fach wedi mynd,
   Popeth ryw hanner drwy'i hun,
Daear ac awyr yn llwyd,
   Taid ddeng mlynedd yn hŷn.

Wnc Asil yn ddistaw iawn,
   Wnc Welyn yn edrych yn llwyd,
Dim byd yn debyg i ddoe,
   Nain heb ddim blas ar fwyd.

Nadolig llawen iawn
   Am ryw ddeuddydd neu dri;
Ble'r aeth y llawenydd oll? —
   Gyda Hi.

Y NADOLIG CYFOES

Alan Llwyd

Anwar yw ein gwarineb, — er ein moeth;
   Annoeth yw'n doethineb;
Duwiol iawn yw'n diawlineb,
A'r Crist gan anghrist yn neb.

ANRHEGION CYFOES

Alan Llwyd

Nid y myrr ond mieri, — nid yr aur
   Ond y drain a'r drysi
   I Frenin Nef a rown ni,
   Ac â'r rhain ei goroni.

LLWYFAN BETHLEM

Dafydd Rowlands

Wrth gwyro fy masg ar gyfer y Sul
a pharatoi y paent,
daw llwyfan Bethlem eto'n llun,
a'r cymeriadau'n ddafad, buwch, ac asyn,
yn angel a bugail,
gŵr a gwraig, a dol.

'Rown innau'n un ohonynt,
ffyddlon ymhob practis ar nos Lun;
deuthum yn un o'r doethion
o ddwyrain y festri,
yn frenin pum troedfedd
o bapur crêp a masg.
Gwyddwn y geiriau, chwedl y bardd,
gwyddwn y geiriau'n dda.

A gwyddwn yr ystum wrth osod yr aur
yn rhodd i'r baban plastar yn y preseb,
i'r actor diamrant dwl.

Beth ddaeth o'r tegan dan y cwrlid gwair,
o'r doethion doniol eraill,
ac o'r Forwyn Fair,
Joseff a'r asyn, a'r defaid dirifedi?
Beth ddaeth o'r seren drydan ar y wal?

Daw llwyfan Bethlem eto'n llun
wrth gwyro fy masg ar gyfer y Sul,
a pharatoi y paent.

NOSON GENI IESU

Alan Llwyd

Yr oedd seren y geni — yn waedrudd
    A'i phelydrau'n croesi
  Fel trawst ar drawst, wrth i dri
  Â Herod ymgynghori.

126

CAROL

Moses Glyn Jones

Ar noson feichiog
tros rosydd lleidiog
bu deuddyn yn marchog
ar asyn oedd gyndyn ei gam.

Fan honno 'roedd bugail
yn gweitiad mewn biswail
i dorri y bogail,
rhoed Mair ar hen wair yn noeth.

Rhewodd y seren
a glafoer yr ychen
a thincial y gledren
a thywyllwch y walbant aeth allan.

Cans baban mewn cadach
yn sypyn llegach
wnaeth blygain amgenach
nag a wanodd afagddu mewn beudy'n y byd.

ADDURNIADAU'R NADOLIG

Alan Llwyd

Ni chudd y tinsel helaeth, — na'r ffriliau
Gyrff yr hil ddiluniaeth,
Na'r celyn furgyn di-faeth,
Na'r uchelwydd ddrychiolaeth.